京大哲学講義

AI親友論

京都大学教授
出口康夫

徳間書店

京大哲学講義

AI親友論

はじまり

『ＡＩ親友論』と銘打たれた本書では、ＡＩと人間の関係、いやむしろ両者のあるべき関係を問うていきます。

「あるべき関係を問う」とは、単に「事実」を記述したり説明したり予測したりするのではなく、「事実」にもとづいて新たな「価値」を提案する営みです。それは、事実の記述・説明・予測をこととする「科学」ではなく、価値の提案の試みとしての「哲学」の企てなのです。

「ＡＩと人間のあるべき関係」を問うとは、「ＡＩ」を問うことであると同時に、いやそれ以上に「人間」を問うことでもあります。本書の影の主役は「人間」なのです。

「価値観」や「人間観」には唯一の定まった正解などありません。あるのは、多かれ少なかれ一定の説得力を備えた複数の提案のみです。

本書でも、「われわれとしての自己」や「WE《ウィー》ターン」といった僕自身の考えを、現在のグローバル・デファクト・スタンダードとなっている西洋近現代的な人間観や価値観に対する一つのオルタナティブとして提案したいと思います。

ここで言う「われわれ」とは、ある一つの身体行為を、意識・意図するとしないとに関わらず、結果として支えている数多くのエージェントからなるシステムを意味します。この「われわれ」には、人間も人間以外の動物も無生物も、そしてAIやロボットなどの人工物も含まれます。このような「われわれ」のメンバー同士としての人間とAIの間にはどのような関係が成り立つべきかを本書は問うていきます。

僕は勤務先の京都大学文学部で「哲学講義」という授業を担当しています。本書にも、そこで話している内容が含まれています。またその講義には一回生から大学院生、社会人までも含んだ、多様な興味を持った幅広い年齢層の方々が出席されています。

そのような講義に臨むにあたって、僕としては、詳しい内容はスライドなどの授業資料に委ねて、なるべくその場その時の自然な流れに身を任せるトークスタイルの授業を心がけています。

本書でも、そのようなトークショーとしての講義を展開するつもりです。したがって以下では、ＡＩ研究や哲学についての専門用語はなるべく避け、ロジックや定義を厳密に踏まえた議論展開も、日英の言語で準備中の、より専門的な著作に譲りたいと思います。

哲学の教室では、最新のトピックについて議論している場合でも、デカルトやアリストテレス、ナーガールジュナや道元といった名前が飛び交うことがあります。哲学とは百年単位、千年単位で「もの」を考える営みなのです。本書でＡＩについて語る際にも、同様に、現実を見据えつつも、目先の技術的・社会的状況に捉われない視座に立ちたいと思います。本書は、あえて技術的な実現可能性を度外視し、人格を備えたＡＩや「親友」としてのＡＩについても語ります。それら、いや彼ら彼女らは、「人間とは何か」を長い時間軸で問う哲学的思考実験の登場人物なのです。

このように以下の講義は、現状を超え、はるか斜め上を見すえる視線で語られています。あなたには、その斜め上に、あなた自身の心の水平線が、果たして見えるでしょうか。太陽と海が溶けあったそこにランボーは「永遠」を見つけ、ゴダールは「巨大な疑問符」を見ました。僕にはそこにＡＩと人間が親友として交わる新たな「われわれ」を見ています。

本書の最後のページを閉じられた後、あなたには、何が見えることになるのでしょうか。

目次

第二講　さまざまなAI――41

第三講　AIは奴隷か――73

第四講　AIと自由――85

第六講　AIに倫理を装備する――133

第七講　親友としてのAI――165

座談会

AIと人間は親友になれるのか―― 179

パネリスト：堂目卓生＋石黒浩＋青木宏文＋出口康夫

第一講

「われわれ」としてのAI

「人間失業時代」は本当にやってくるのか

数年前、「技術的シンギュラリティ（特異点）[*1]」という言葉が話題になりました。この「シンギュラリティ」とは、ＡＩ（人工知能）が進化して、人間の知性と並び、ついにはそれを凌駕《りょうが》し、抜き去る事態を意味していました。

もちろん、このようなシンギュラリティがそもそも実際に起こりうるのか、また起こるとすると、いつ、どのような形で起こり、それが僕らや社会にどのようなインパクトを与えるかについては、さまざまな議論が交わされました。

実際、ＡＩ研究者の間でも、このような意味でのシンギュラリティが到来する可能性について懐疑的な声[*2]が聞かれました。

一方、シンギュラリティが社会に与える影響の一つとして、さまざまな仕事の担い

＊1―技術的特異点とも呼ぶ。人間と人工知能の臨界点を指す言葉である。１９８０年代からＡＩ研究者の間で使用されるようになり、２０４５年にシンギュラリティを迎えるのではないかと言われている。

＊2―アメリカの発明家であるレイ・カーツワイルを中心に、議論は白熱している。レイ自身は賛成派。

手がから人間からＡＩに置き換えられ、多くの職業がいわば「ＡＩ化」することで、結果として多くの人の働く場が奪われるという「シンギュラリティ大量失業時代」の到来を予測する向きもありました。

そのようななかで、イギリスの新聞に、ＡＩによって奪われやすい職業のランキング一覧[*3]なるものが掲載され、その中には「哲学の教師」が、案外上位に、つまり「奪われやすい」部類にランクされていて、僕も苦笑した覚えがあります。

このようなシンギュラリティをめぐる議論がやや落ち着きを見せたかと思いきや、今度はChatGPT[*4]などの生成ＡＩの開発が爆発的に進み、それが急激に社会に普及することで、現在、論議を巻き起こしています。

ChatGPTの情報処理・文章作成能力の向上は、まさに日進月歩の勢いです。僕も先日、企業コンサルタント業務をこなす生成ＡＩ[*5]のデモを見せていただきましたが、膨大な情報を博捜し、文字どおり、あっという間にクライアント企業に対する提案書を作成してしまうその手際の良さに、これまた文字どおり、あっと驚きました。

このようにChatGPTが本格的に企業に浸透すると、少なくとも既存の情報を収集し、一定のフォーマットに基づいて分析し、そこから一定の課題解決の処方箋を導

＊3―The Guardian "Why would we employ people? Experts on ways AI will Change work" Fri 12 May 2023 参照。

＊4―OpenAIが２０２２年11月に公開した人工知能チャットボットを指す。

＊5―アクセンチュアではＡＩを活用し、データ収集、プレゼン資料作成まで行っている。人間の力で1週間かかるところを、企業情報を入力すると数分で資料作成が終わってしまう。
参照：https://www.accenture.com/jp-ja/services/ai-artificial-intelligence-index

出するようなタイプの、ある程度ルーチン化可能な知的業務は、確実にＡＩ化されるでしょう。結果として人間の職が奪われる事態も、容易に予測されます。

数年間は、起こるとしてもまだまだ先の出来事だと思われていたシンギュラリティ、そしてそれに伴うシンギュラリティ失業が、近未来の現実として、僕らの目の前に、突きつけられているのです。

シンギュラリティ失業は、確かに深刻な問題です。ＡＩ化によって消え去る恐れのある仕事の一覧、いわば「絶滅危惧種リスト」の上位にランクされた職にある者として、僕にとっても他人事ではありません。

しかし、生成ＡＩの「爆誕」に象徴されるシンギュラリティは、単にコンサルタントや哲学者などの（多かれ少なかれ）知的な職業に関わる個々の失業問題を超えて、より深刻で、より根深く、より広範な問題を、人類全体に突きつけているようにも思えます。その問題を、ここでは「人間失業」[*6]と名づけておきましょう。

では、「人間失業」とはなんでしょうか？　それはどのようなメカニズムで発生す

＊6──「人間失業」については『BEYOND SMART LIFE：好奇心が駆動する社会』（日立京大ラボ編／日経ＢＰ日本経済新聞出版本部）を参照。

るのでしょうか？　またそれを解決する、ないしは回避する方策はあるのでしょうか？　もしあるとしたら、それはどのようなものなのでしょうか？

以下では、これらの問題を考えていくなかで、西洋哲学に端を発し、近現代社会におけるデファクトスタンダードとなっている人間観、すなわち「できること」を基軸とする人間観を炙《あぶ》り出し、それに対するオルタナティブとして「できなさ」に焦点を当てた人間観を提案していこうと思います。そのうえで、この「できなさ」を踏まえ、「WE《ウィー》ターン」[*7]と僕が呼んでいる、価値観の転換を素描していきます。

人間は、さまざまな能力を持ち、多様な機能を備えています。僕らは歩くことも、走ることも、言葉を話すことも、考えることも、他人の心を汲《く》み取ることもできます。けれども、言うまでもなく、これらの能力や機能はどれもこれも無際限ではなく、たかだか有限です。従って、ある特定の能力や機能に関して、人間より優れた能力や機能を備えた存在者——これを「凌駕機能体《りょうがきのうたい》」と呼びましょう——も当然、存在していますし、また存在しえます。例えば、人間より速く走ることができる動物はザラにいるのです。

それだけではありません。人間は自分の能力を超えた機能を持つ人工物を次々と発

*7—WEターンについては、31頁から詳しく説明します。

明し、人間の営みを、その人工的な凌駕機能体の動作に置き換えることで、自分たちの生活を便利にしてきました。馬車や自動車や飛行機といった移動手段も、そのような人工的凌駕機能体の一例です。

しかしながら、自然物であれ、人工物であれ、このような機能体によって自分の何がしかの機能が凌駕されたからといって、人間の自尊心、自負心、さらには尊厳や「かけがえのなさ」は1ミリたりとも、すり減ったり、揺らいだりすることはありませんでした。

なぜでしょうか？

答えは、明らかです。人間は、他の動物や人工物が逆立ちしても敵《かな》わない能力ないしは機能を持っており、それを備えていることに自らの尊厳や「かけがえのなさ」を見出《みいだ》してきたからです。さまざまな凌駕機能体が登場し、さまざまな能力が乗り越えられ、凌駕されたとしても、そのような、自分が一番だと言える能力や機能――それを「一番能力」ないしは「一番機能」と呼びましょう――に関する優位性が保たれている限り、人間の自負心や尊厳は安泰だったのです。

そのような人間にとっての一番能力ないしは一番機能とは、言うまでもなく「知的能力」[*8]です。

人間は、その「知的能力」に関しては、この地球上のあらゆる存在よりも優れており、それをもっている限り、例えば移動や運搬といった仕事が機械によって次々に取って代わられたとしても、その「知的能力」に関してだけは、凌駕機能体による代替は起こらないし、起こりえない。人間は、そのように考えていたのではないでしょうか。

凌駕機能体によって置き換えられることを「かけがえのなさ」の喪失だとすると、知的能力に関してだけは、そのような喪失は起こらない。このように「知的能力」は人間の「かけがえのなさ」、そしてそのような「かけがえのなさ」としての「尊厳」の「最後の砦」だったのです。

しかし、AIの登場によって、この「最後の砦」も危うくなってきました。いわんや、AIが人間の知的能力を凌駕するシンギュラリティが起こってしまえば、「最後の砦」もついに陥落の時を迎えることになります。

*8—ここでいう「知的能力」とは、例えばトラクターや車やトラックを運転する能力をも含みます。

人間の「かけがえのなさ」や尊厳、さらには自尊心や自負心を支えていた「最後の砦」である「知的能力」という「一番能力」に対してすら、ついに凌駕機能体が登場し、結果として、人間の「かけがえのなさ」や尊厳が失われ、自尊心や自負心がズタズタになる。これが「人間失業」です。シンギュラリティとは実は、このような人間失業をもたらす事態でもあったのです。

では、人間失業、すなわち人間としての尊厳や「かけがえのなさ」が失われる事態を防ぐためにはどうすればいいのでしょうか？　人間の知的尊厳を守るために、生成AIなどの開発[*9]をやめるべきなのでしょうか？

そのような発想も当然ありえます。しかし、ここではそれに対するオルタナティブ、別の道を考えてみましょう。

「できなさ」にこそ人間の尊厳がある

例えば、人間の尊厳や「かけがえのなさ」を「知的にできること」から別の「できること」に置き換えるという方策も考えられています。「知的能力」が凌駕されてし

＊9──人間失業への処方箋と言うわけではないが、実際に、生成AIの開発をいったん止めるべきだとする提言もなされている。

まったのであれば、まだ凌駕されていない他の「できること」に「かけがえのなさ」を求めればいいというわけです。

しかし、他者の気持ちに共感できること、コミュニケーションをとれること、感情を抱けること……どのような能力や機能であっても、それらはたかだか有限であることに変わりありません。それらを超える凌駕機能体は原理的に存在する可能性があるのです。単に人間の尊厳を「知的にできること」に置くことをやめるというのでは不十分なのです。将来そのような機能体が出現した場合、やはり人間失業は避けられません。

例えば、人間より優れた共感能力を備えたロボットや、肉体や意識を伴った人工生命が生み出された場合、凌駕機能体が現実のものとなり、共感能力という最後の砦が陥落する事態が起こるのです。

人間の「かけがえのなさ」を何らかの「できること」に置く以上、それらを凌駕する凌駕機能体が生み出され、「かけがえのなさ」が奪われてしまう未来はいずれにせよやってくるのです。

人間の尊厳や「かけがえのなさ」を「できること」に置く発想の背後には、西洋哲学で長らく幅を利かせてきた「機能主義的人間観」[*10]が控えています。

機能主義的人間観とは、人間を、知性・感情・意志といった複数の機能の「束」と捉える考えです。これらの機能のうち、何が支配的で一番重要かは哲学者によって意見が分かれます。

例えば、デカルト[*11]やカント[*12]やヘーゲル[*13]は知性や理性が一番重要だと考えました。それに対して感情こそが主人公だと言ったのがヒューム[*14]やフォイエルバッハ[*15]、いやいや一番の支配者は意志だと主張したのがショーペンハウワー[*16]やニーチェ[*17]です。

機能とは「何かができる能力」です。人間を機能の束として捉えるとは、人間を「できること」の束と見なすこと、「できる存在」とすることに他ならないのです。

一方、例えば東アジアには、「できる」人間ではなく、むしろ「できない」人間、無能な人を理想とする「聖なる愚者」とでも呼べる思想伝統があります。例としては、老子の「混沌たる愚者」、法華経の「常不軽菩薩」、宮沢賢治の「デグノボー」などがあげられます。

＊10―人間をなんらかの能力や機能の集合体・束と見なす思想。

＊11―ルネ・デカルト。哲学者、数学者。1596〜1650年、フランス生まれ。合理主義哲学、近世哲学の祖として知られる。

＊12―イマヌエル・カント。哲学者。1724〜1804年、ドイツ生まれ。科学的世界観と道徳的価値を両立させる人間観・社会観を提案した。

＊13―ゲオルグ・ヴィルヘルム・フリードリヒ・ヘーゲル。哲学者。1770〜1831年、ドイツ生まれ。矛盾や否定性に積極的意義を

以下では、このような伝統を踏まえ、人間の尊厳や「かけがえのなさ」を「できること」に置くこと自体を自明視せず、それに対して疑問を投げかけ、それに対するオルタナティブを探ること。「できること」ではなく、「できなさ」を基軸に据えた人間観、そして「できなさ」にこそ、人間の尊厳や「かけがえのなさ」があるとする考えを、提案し、素描してみたいのです。

二つの「根源的なできなさ」

ここで僕が着目するのは、「わたし」＝個人としての人間は、「自分一人では何もできない」ということ、そして自分の行為を支えてくれる数多くのエージェント[*18]のうち、どれ一つをも「完全にはコントロールすることができない」ということ。これら二つの「できなさ」です。僕は前者の「できなさ」を、「単独行為不可能性」、後者を「完全制御不可能性」と呼んでいます。

この二つの「できなさ」は、人間であれば誰にでも備わっており、そこから逃れる術《すべ》がないという意味で「根源的なできなさ」を持っています。いや、人間のみではなく、ＡＩやロボットを含めたすべての人工物、すべての自然物、この世のありとあら

認める「弁証法」を確立するなど、後世に大きな影響を及ぼした。

＊14―デイヴィッド・ヒューム。哲学者。1711〜1776年、スコットランド生まれ。イギリス経験論の主要な論者であり、因果論批判、懐疑論、自然主義哲学などで知られる。

＊15―ルートヴィヒ・アンドレアス・フォイエルバッハ。哲学者。1804〜1872年、ドイツ生まれ。神は人間の理想像に過ぎないというキリスト教批判で知られる一方、異性間の愛情を基軸とした人間観を提示した。

＊16―アルトゥル・シ

ゆるエージェントに備わった「普遍的なできなさ」でもあります。

一人でできないことは世の中に数多くあります。例えば、チームプレーである野球やハーモニーを楽しむ合唱といった集団行為は、当然ながら一人ではできません。一方、ランニングや独唱といった一人でできる行為、すなわち「単独行為」もたくさんあるように思えます。本当に僕らはランニングや独唱ですら一人でできないと言えるのでしょうか。

いま、自転車乗りという、これまた一見、単独行為と思えるケースに即して、考えてみましょう。

確かに自転車に乗ってペダルを漕いでいるのは「わたし」一人です。でも、そもそも自転車がないと、自転車乗りという行為は成立しません。

それだけではありません。自転車が走る道路がないと「わたし」は自転車を上手く走らせることができません。信号や横断歩道などの交通インフラも必要でしょう。

また、適切な大気圧や重力がなければ、「わたし」はフラフラと宙に浮いてしまい、自転車を漕ぐどころではなくなってしまいます。さらに、何百年か前に、誰かが自転

ヨーペンハウアー。哲学者。1788〜1860年、ドイツ生まれ。「生への意志」を中心とした哲学を展開した。

＊17―フリードリヒ・ニーチェ。哲学者、古典文献学者。1844〜1900年、ドイツ生まれ。西洋の伝統的思想を独自の観点から再解釈し、「ニヒリズム」「超人」「力への意志」など、独自の思想を展開した。

＊18―なんらかの力を持ち、それを発揮する存在者のこと。ここでは、人間以外の生物の他に、自転車などの無生物、さらには社会システムなど、様々なものを含む。

車を発明していなければ、「わたし」が今日、自転車に乗ることもなかったでしょう。加えて、自転車が製造されて販売されていなければ、わたしの自転車乗りもこれまた成り立たなかったはずです。

「わたし」の自転車乗りという行為には、多くの人々、生物、無生物、自然環境、生態系、社会システム、歴史上の出来事といった多種多様のエージェントが関わっているのです。そして、それらの支え、助け、アフォード[*19]がなければ、「わたし」の自転車乗りという行為は遂行できないのです。

言い換えると、これら多種多様で無数のエージェントからなるシステム——これを「マルチエージェントシステム」と呼びましょう——がなければ、自転車乗りという行為は成立しないのです。

もちろん「わたし」は、この自転車乗りという行為にとって欠かせないエージェントです。でも今、お話ししたように「わたし」だけでは、自転車乗りという行為は成り立ちません。「わたし」は、行為にとって「必要なエージェント」であっても、「わたし」さえいれば行為が十分に成り立つという意味での「十分なエージェント」ではないのです。

＊19—環境が、結果としてその中にいるエージェントの行為を支えていること。例えば、平らで滑らかな道路があるおかげで、私たちは自転車でスムーズに移動することができる。ここでは、道路が「自転車に乗る」という行為をアフォードしている。

同じことは自転車にも、道路にも、上で列挙した、その他の多くのエージェントについても言えます。それらの各々も、必要なエージェントではあっても、十分なエージェントではなかったのです。

以上のことは自転車乗り以外のすべての身体行為、例えば、ランニングや独唱についても成り立ちます。

「わたし」は一人では何もできない存在なのです。単独行為は不可能なのです。

「わたし」だけでは何もできない

このような「できなさ」、単独行為不可能性は必ずしもネガティブな意味のみを持つわけではありません。

いま、マルチエージェントシステムを、「わたし」を含んだ多数のエージェントからなる存在であるという意味で「われわれ」と呼びましょう。すると「わたし」は生きて身体行為をしている限り、つねに、その都度、成り立つ「われわれ」の一員として、「われわれ」に支えられてあることになります。このように、単独行為不可能性は、「わたし」が生きて行為をしている限り、つねに「われわれ」と共にあることを意味しています。

もちろん、「わたし」がどのような行為をしているかによって、その都度の「われわれ」も変わります。しかしいずれにせよ、「わたし」のまわりにはつねに何からの「われわれ」がいてくれるのです。「わたし」にとって「われわれ」は着脱可能な衣装のような存在ではありません。言い換えると、すべての「われわれ」を脱ぎ捨てても存在する「裸のわたし」なるものは単なる幻想です。「われわれ」は「わたし」にとって不可逃脱的な存在なのです。

このように、単独行為不可能性としての「できなさ」は、「わたし」がつねに既に必ず「われわれ」の一員としてあり、「われわれ」に支えられてあることを意味しています。それは、このようなポジティブな事態を指し示しているという意味で、それは、「われわれ」に対して開かれた「できなさ」だったのです。

「できなさ」という「かけがえのなさ」

このような単独行為不可能性を抱えた「わたし」はまた、マルチエージェントシステムとしての「われわれ」にとって「かけがえのない」存在でもあります。「わたし」がいなければ、それを支える「われわれ」は、そもそも、存在しようがないのです。

マルチエージェントシステムは、「わたし」が存在しなければ雲散霧消してしまうのです。

この意味で、「わたし」は「かけがえのない」存在です。このような「わたし」の、「われわれ」にとっての「かけがえのなさ」は、「わたし」の「できること」とは無縁です。

「わたし」は、何かができたり、何かの能力を持っているから、「われわれ」にとってかけがえのない存在なのではありません。むしろ逆に、「わたし」は一人では何もできないからこそ、「われわれ」を成立させ、その「われわれ」にとって「かけがえのない」存在となっているのです。

そして、このような「わたし」の「かけがえのなさ」は、「わたし」が生きて行為をしている限り失われることはありません。天涯孤独な「わたし」であっても、大した取り柄のない「わたし」でも、みんな、この「できなさ」としての「かけがえのなさ」を持ち、それを失うことはありません。「できなさ」としての「かけがえのなさ」

を持たない人は、誰もいないのです。

「わたし」は「できる」から「かけがえがない」のではありません。「できない」からこそ「かけがえがない」のです。

このような「できなさ」としての「かけがえのなさ」は、どのような凌駕機能体が現れても失われることはありません。たとえ「わたし」より、より「できない」存在がいたとしても、「わたし」が「わたし」なりのできなさを抱えている以上、「わたし」は「わたし」の「われわれ」にとって「かけがえのない」存在であることには変わりがないのです。

ここでは人間失業は起こりません。逆に言えば、機能主義的人間観を捨てて、人間を単独行為不可能性を抱えた「できない」存在と見なすことが人間失業を防ぐ一つの手立てとなりうるのです。

WEターン：IからWEへ

これまで説《と》いてきた論では、「われわれ」が主役であって「わたし」はいなくてもいいのかと解釈されるかもしれません。それは誤解です。

マルチエージェントシステムのなかに、「わたし」は常に含まれています。必ず、システムの中心に近い部分にいます。消えているわけではありません。

ですが、独立した個体ではない。「わたし」はあくまで行為を「委譲」された、マルチエージェントシステムを成立させているエージェントです。言うなれば、中心的存在ではありますが、「わたし」は結局「one of them」の存在であると考えるのが正しいでしょう。


「わたし」の行為は、それ自体、すでに「われわれ」の行為であると判じられます。「わたし」はもはや、どのように生きようとも「われわれ」＝「WE」という枠組みで、考えなくてはいけません。

「わたし」と向き合うことは、自動的に「WE」を見つめること。その思考を総称し、「WEターン」という新たな社会の指針を提唱します。

WEターンという視座において、行為の主体はわたし（I）からわれわれ（WE）へ移行します。そうなると、社会のさまざまな場面で、連鎖的な変化が生じていくでしょう。

大きくは、自己（self）の主体性が拡大されます。

行為をする＝DoがIからWEへ。

「わたし」の認識は「わたし」のみの自己（self-as-I）ではなく、「われわれ」としての自己（self-as-WE）に広がってゆくと考えられます。

WEターンはやがて社会の思想に共有され、「わたし」で閉じている機能主義的人間観を、開放的にしていくでしょう。

人間とは何か？　AIと友だちになるためには？　これから研究分野の内外で、向き合わざるをえない命題を解くために、WEターンは必要な「改革」であろうと考えています。

一人で考えたり、意志決定をすることはできない

一般的には、何かを考えたり、意志決定をすることは、最も個人的で重要な行為であり、疑う余地なく一人で「できる」ものだと考えられています。しかしながら、僕が考えるWEターンの視座は、このような行為にも及びます。

デカルトは「我思う、故に我在り」と、有名な一節を唱えました。

考えること、その行為によって、「わたし」は存在するという理屈です。

考えるとは、人の最も基本的で大事な行為であり、それが他に成り代わりのない「かけがえのない」ものだと、デカルトは説いています。

それはそれで納得ゆきますが、あえて大胆に述べましょう。デカルトは事実認識が間違っています。

「我思う」ではなく、正しくは「われわれ思う」。

「I think」ではなく「We think」と言うべきでしょう。

「I think」をラテン語では「cogito《コギト》」と言います。しかし複数形の「cogitiamus《コギティアムス》」が、今日の人のあり方であると、私は考えています。

同様にして、一般的に「わたし」は意志決定を、自分だけで可能にしていると認識されています。

自己決定権は、「わたし」の占有権。その独占が、人の優位性の基盤であると思われています。しかしこれが西洋哲学の系譜に連なる、近代文明の誤解のひとつだと、私はとらえているのです。

どのような厳密な決定だろうと、外部から流入する情報やそのときの体調、たまたまの気分など、さまざまな影響によって変化します。それは誰も否定しませんよね。「わたし」の立場は揺るがず、あくまで独裁的決定権は「わたし」にある。外部の情報や体調などは、単なる「わたし」の影響者だとされています。

しかし、その解釈は「われわれとしての自己」の人間観において、事実に反しています。

決定というものは、多くのエージェントの相互連携による、共同の帰結です。「わたし」は中心に近いところにいて、決定の最後のボタンを押しているに過ぎません。

「われわれ」のシステムにおいては、「わたし」の専決権はなくて、あらゆる決め事は共同決定でなされています。

それでも決定は、「わたし」だけで行っているのだと、主張される向きもあるでしょう。しかし決定に至るまでの理路を冷静に見返してゆけば、「わたし」以外の多くのエージェントのこなしてきた形跡を、見いだせるはずです。

「わたし」は、いかなる行為を行ったとしても、実質的に「われわれ」の共同決定のもとにある。そのように考えると、いまの人権問題など、社会の課題の取り組み方は、ガラッと覆されるのではないでしょうか。

「わたし」は単に、最終決定のボタンを押す権限を委ねられた「one of them」なのです。

さまざまなWEターン

一般の人生観も、変わっていくでしょう。

人は、現段階では「わたし」が生きていると考えていますが、WEターンの後には「われわれ」が生きているという認識になります。

「わたし」じゃなくて、「われわれ」が生きる意識になれば、だいぶ生き方は違うものになりますよね。

WEターンの枠組みでは「他人は他人、自分は自分」「他人に関心はない。自分も他人とは関係ない」という具合に、人と自分を潔く分断することはできません。「われわれ」のなかで、すべての行為の責任のユニットを分担しています。ある種の連帯責任を負っている状態です。

もちろん「わたし」の行為において、「わたし」は最大の責任を負っていますが、外の他者は一切関係なしということにはなりえません。逆も然《しか》りです。

例えば、自転車で通勤しているとき、行為の責任の重点は「わたし」にあります。しかし交通ルール遵守や自転車の整備、または事故を避けるための目配せや、地域の人たちとの挨拶など、「われわれ」との好適な連携を欠かすことはできません。

WEターンの社会では、「われわれ」で生きる、Self-as-WEの視点が基本となります。

極端な話では、病気や経済的なトラブルなど深刻な苦境に陥ったとしても、むやみに自死を選べなくなります。「わたし」は苦しいからといって、勝手に「われわれ」の死を、選択してはいけないのです。

自殺抑止効果があるとは言い切りませんが、WEターンは「それでも何とか生きてみよう」という、最後の奮起の力を人にもたらすのではないでしょうか。

ウェルビーイング[*20]を考える上でも、WEターンは前向きに影響するでしょう。

多くの人は、自分の人生を幸福にデザインすることで手一杯ですが、WEターンによって「わたし」のウェルビーイングではなく、「われわれ」のウェルビーイングと

＊20―社会で心身ともに健康に生きることを指す。文字どおり、善く生きるということ。

いう順位の入れ替えが起きます。

「わたし」を抑えて、「われわれ」に奉仕しなさいと言いたいわけではありません。「My Life」から「Our Life」へ、人生のＷＥターンが起きたとき、「われわれ」の行為責任やエージェントに分散される大小の責任は、逃れられないものになります。

例えば、殺人など重い犯罪が起きたとき、最も責任を有するのは、その行為を行った殺人犯です。しかし、赤の他人である「わたし」は、完全に無関係の立場でいられるでしょうか？

犯罪行為そのものには無関係であっても、「わたし」は犯罪者が犯行に至る背景、すなわち「われわれ」と一体です。

重大な犯罪が二度と起こらないよう、社会の治安を守ったり、法制度を再設計していく責任を、「わたし」は免じられてはいません。

「わたし」には犯罪を、無数の要因が複雑に絡まった社会的災害としてとらえ、防災・減災を試みる市民的義務が付託されています。貧困や武器の氾濫など、社会を脅かすものに対しても同様です。

「わたし」は「われわれ」の健全を守っていく責任を（人によって多少はあります

が）、本質的に負っています。そうすることで初めて、権利というものを行使できます。

WEターンの社会は、権利を有した先に責任があるのではなく、責任を果たした「わたし」が、権利を持ち得るというイメージです。

「われわれ」の出来事に関心を持たなかったり、距離を置いてはいけません。自ずから、責任を果たしていく姿勢が大切です。それが「わたし」の権利を、豊かに広げることにつながります。

そして、人とAIの関係を考える上で重要なベースとなる「自由のWEターン」も引き起こされます。ただ、これはもう少し後でお話しすることにしましょう。

第二講

さまざまなＡＩ

AIバージョンアップ

ＡＩと一口に言っても、その種類や機能や能力は様々です。それらのうち、どのタイプのＡＩを念頭におくかによって、人間とＡＩとの関係をめぐる議論の内容も大きく変わる可能性があります。

そこで、ここでは、今後の議論のために、あらかじめＡＩの種類やタイプの区別をしておくことにします。具体的には、ＡＩが、そのプロトタイプから始まり、現在の段階を経て、さらにその先の進化形へと、次々と新たな機能を獲得し、バージョンアップしていくさまを、ＡＩ０・０からＡＩ４・０の５つのバージョンの違いとして整理しておきたいと思います。

AI0・0：自動的AI

AI1・0：自律的AI
AI2・0：目的設定AI
AI3・0：自己目的設定AI
AI4・0：道徳的なAI

とはいえ、ここでは技術的な細かい議論や区分には立ち入りません。また、ここで触れられるバージョンの未来形が工学的に実現可能かどうかも、さしあたっては不問に付しておきます。

実際、現在のAI研究は、バージョン1・0の段階から、ようやく2・0を伺いつつある地点に差し掛かっているに過ぎないと言えます。AI3・0以降は、あくまで、「はじまり」でお話した、AIと人間を巡る哲学的な思考実験のために、仮想的に導入されている概念装置なのです。

では以下では、AI0・0から順に紹介していきます。

AI0・0：自動的AI

AIとは、簡単に言ってしまえば、そのバージョンの違いに関わらず、一定のインプットに対して一定のアウトプットを出す装置の一種です。その中でもＡＩ０・０では、インプットは全て人間が行い、それに対して予めデザインされた情報処理操作が加えられることで、一定のアウトプットが出力されることになります。いったんインプットが入力されれば、アウトプットの導出までは自動的に遂行される点で、それは自動的ＡＩだと言えます。

しかし、それは、ＡＩ１・０以降のバージョンとは異なり、自分でインプットを検知し、入力したり、あらかじめ決められてはいない処理操作を自ら学習し編み出すことはできません。インプットの自力入力や、操作の自力学習、即ち「機械学習」ができないという意味で、それは未だ自律的なＡＩ即ちＡＩ１・０にまでは至っていないのです。

例えば、複数の数を入力し、足し算ボタンを押すと、自動的に合計を出す計算機が、このようなＡＩ０・０に相当します。このような計算機も、足し算という人間の知的操作を代行している点で人工知能と呼べないことはないかもしれませんが、ある機械がＡＩと言えるかどうかを判定する、有名なチューリング・テストにはおそらく合格しないでしょう。

ちなみにチューリング・テストとは、「AIの生みの親」とも言われるアラン・チューリング[*21]が提案したアイディアで、その正体を知らない人には人間か機械か判別できないほど、人間とよく似た知的レスポンスを返せる機械のみをAIと認定するというテストです。このチューリング・テストにかけられた自動的AIは、インプットを自分で検知したり、学習によって考え方を進化させるといった「人間的」な反応を示すことができず、あっという間に機械だと見破れてしまうでしょう。

その意味でAI 0・0は、その動作自体は知的であるものの、例えばペダルを踏めば自動的に前進する自転車と大差ない、ありふれた人工物の一種と言えます。それは、せいぜいのところAIのプロトタイプにすぎないのです。

AI 1・0：自律的AI

次にAI 0・0がバージョンアップされ、上記のようなインプットの検知と機械学習という二重の自律性を獲得するに至ったAI 1・0を見ていきましょう。このような自律的AIの例としては、自動運転の車に搭載されたAIや、第一講で触れたChatGPTなどの生成AIが挙げられます。

＊21―アラン・マスシン・チューリング。1912〜1954年、イギリス生まれ。「コンピュータ科学の父」と呼ばれた数学・暗号解読・計算機の科学研究者。

このようなAIは、例えば「目的地まで自動車を安全に走行させる」という目的のもと、人間の手を借りることなく、周囲の交通情報を検知し、自らが獲得した情報処理操作を駆使して、その目的を遂げることができるのです。

ただし、このような自律的AIも、例えば「目的地までの安全走行」といった、その動作の目的そのものはあらかじめ設定されたもの、所与のものにすぎないという点で、未だAI 2・0には至っていません。それは、インプット検知と情報処理操作の機械学習という自律性は備えているものの、目的を自分で設定するという目的設定の自律性、いわば第三の自律性は備えていないのです。

AI2・0：目的設定AI

そのような第三の自律性を備えたものとして、目的そのもの機械学習するAI、即ちAI 2・0が、現在、構想[*22]されています。

このあと見るように、このようなAI 2・0の例として、「ユーザーのメンタルヘルスを回復する」という初期の単純な目的を、ユーザーとの対話を通じた機械学習によって、個々のユーザーの価値観や置かれた状況にあうようにテーラーメードする対話型AI[*23]があげられています。

*22―犬塚悠・松井佑介(2022)「ヘルスケアAI開発における設計者の責任」『技術倫理研究』vo.19, pp.1–22を参照。

*23―犬塚・松井 2022, pp.15–17を参照。

ＡＩ３・０：自己目的設定ＡＩ

このような目的設定の自律性を備えたＡＩ２・０であっても、その全てが、機械学習によって「自己目的」までをも変更する機能まで装備しているとは限らないと思われます。そこで、このような自己目的の変更、再設定としての自律性─即ち「第四の自律性」をも備えたＡＩを自己目的設定ＡＩとし、それをＡＩ３・０と呼ぶことにしましょう。

ここでいう「自己目的」とは、あるＡＩが、そのためにデザインされ作られた、そもそもの目的、そのＡＩにとっての「存在理由（レゾン・デートル）」となっているような目的です。

例えば、自動運転ＡＩにとっては、自動運転を行うことが、その自己目的のはずです。そのような自己目的自体は疑わず、それを所与のものとして、運転者との対話や運転環境をベースに機械学習を重ねた結果、初期目的として設定されていた安全運転のみならず、環境にやさしい運転をも目指すようになれるのが、先のＡＩ２・０でした。

それに対して、ＡＩ３・０としての自動運転ＡＩは、機械学習の結果、場合によっては、自動運転という自らの使命をも否定することになります。

例えば、安全な自動運転が困難だと判断した場合に限り、自動運転を拒否するＡＩは、未だ「安全運転」という初期の目標を掲げている点で、ＡＩ 1・0に相当します。しかし、現在の技術水準では、安全で環境にやさしい自動運転はそもそも不可能だと判断して、自動運転自体を一貫して拒否する自動運転ＡＩ、いわば自動運転の良心的兵役拒否者とでも呼べるＡＩは、自らの存在理由を機械学習によって否定したＡＩ3・0なのです。

ＡＩ４・０：道徳的ＡＩ

一方、「安全で環境にやさしい自動運転」がたとえ可能だとしても、それが何らかの理由で「良くない」という理由で、自動運転を拒否する、より正確に言えば、拒否すべきだとするＡＩが、ここで言う道徳的ＡＩ、即ちＡＩ 4・0です。

このＡＩには、単に自己目的のみならず、それとは独立な「道徳的であることを目指す」と言う道徳的目的、ないしは「道徳的であれ」と言う道徳的命令が優位の目的として装備されています。そして、自己目的が、この優位な道徳的目的に反していることを機械学習したＡＩは、それを理由として自己目的の良心的兵役拒否者になるのです。

このような道徳的AIについては、第六講で改めて触れたいと思います。

人工的な「ひと」

では、このような「人間性シンギュラリティ」は、これまた本当にやってくるのでしょうか。AIが単なる人工知能ではなく、「人工人間（artificial person）」ないし「人工的な『ひと』」となり『人間性』言い換えると『人格（personality/personhood）』を持つ日が来るのでしょうか？　そして、もしそのような事態が到来するとしたら、それはいつでしょうか？　人工人間と見なせるAIのバージョンがあるとすれば、それはどのバージョンなのでしょうか？

以下では、電子工学（electronics《エレクトロニクス》）の技術によって作られた「人工的なひと」を「e‐ひと（e-person）」と呼ぶことにしましょう。光子工学（photonics《フォトニクス》）を用いた「人工的なひと」は、さしずめ「p‐ひと（p-person）」となるでしょう。

これらの問いに対する答えは、当然、「人間とは何か」、「人間性とは何か」、「人格とは何か」といった問題への解答次第で変わります。人間性や人格を単に知性と同一視すれば、場合よっては、現在すでに登場しているＡＩ１・０の一種である生成ＡＩによって「人間性シンギュラリティ」も引き起こされつつあることになります。

しかし、人間や人格が単純に知性に還元できないとすれば、それは何でしょうか。上のＡＩバージョンアップに即して言えば、それは目的設定の自律性、自己目的設定の自律性、さらには道徳性でしょうか。

いずれにせよ、これを満たせば、人間と言える、人格を持つものだと言えるという条件があれば、ないしはそれを設定できれば、それを満たしたＡＩは、単なる人工知能ではなく、人工的人格（Artificial Person）だということになります。僕はこのような人工的人格をもったＡＩ・ロボットを、先に述べたように「ｅ‐ひと」と呼びましょう。

もちろん「ｅ‐ひと」は、僕らのような、自然的人間、生物的人間とは同じではありません。それは僕らとは種類を異にする、新たな人間、新たな人格なのです。もし「ｅ‐ひと」が、将来生み出されたとしたら、人間の種類が増え、人間が二種類になることになるのです。

人間とは何か、人格とは何か

「はじめに」でも触れたように、本書の裏の、いやむしろ真の問題とは、「人間とは何か」、言い換えると「人格とは何か」というものです。これも「はじめに」で述べたように、このような大きな問題には、一つの定まった正解などというものはない、と僕は考えています。あるのは数多くの、多かれ少なかれ、もっともらしい、ないしは説得的な提案だけなのです。というわけで、以下では、僕の提案についてお話しします。

でもその前に、西洋近代において重要な思想家であるカントの考えを見ておきましょう。カントは「人間が人間であるゆえん」を知的存在、理性的存在であること、そして「道徳的であること」にもおいています。

カントにとって道徳的であることと理性的であることは矛盾しませんし、また別の事態でもありません。彼においては、道徳的であることは、理性の一つの働き、理性の発現、発露に他ならないとされているからです。

カントには「わが上なる星空とわが内なる道徳律」という有名なセリフがあります。彼の墓碑銘にも刻まれている名文句です。ここで語られている「星空」と「道徳律」

は、両方とも、彼に言わせれば人間理性の発現なのです。
星々の間に成り立つ力学法則、人間や社会の間に成り立つ道徳法則。いずれも、太古の昔から、ゴロンとその辺に転がっていたものでもなく、ましてや神が造ったものでもなく、人間の理性が生み出したものだ。これがカントの主張、カント哲学の真髄なのです。

ちなみに、カントに言わせれば、力学法則は、人間が「発見」したものではなく、人間が作り出したもの、「発明」したものです。力学法則の「発見」とは人間による自作自演劇だというのがカントの考えです。

カントは上の文言で、星空と道徳律について語り、それに対する尊敬の念を吐露しているわけですが、それは実は人間の理性、そして理性を本質とする人間そのものへの尊敬の表明です。ここにあるのは「理性的、道徳的存在としての人間」という人間観の提案、カントによる「人間宣言」なのです。

この有名な文章が出てくるのは、カントの『実践理性批判』、俗に『第二批判』と呼ばれる彼の著書の最後のところです。で、問題はこの後です。この後、カントは、人間は、それ以外の動物と決定的に異なるという議論を展開しています。彼は、人格の正体、コアを「理性的であること」からさらに一歩進め、それを「道徳的であること」へと絞った上で、人間は人格を持ち、動物は人格を持たないという仕方で、人間と動物の間に明確な一線を画すのです。

カントに言わせれば、人間は、道徳性を持ち、道徳的であるという点で人格を持ちますが、それ以外の動物は道徳性を持たないので、「人格を持たないもの」として「人間失格」の烙印が押されるのです。「人格を持たないもの」とは、カントの言葉で言えば「物件」です。ドイツ語でDing《ディンク》、英語でthing《シング》です。人間以外の動物は、平たく言えば「もの」なのです。そこには自由も権利も尊厳もへったくれもありません。

僕はこの点については大いに懐疑的です。人間以外の動物が、カントが言う意味で、ないしは以下でお話しする僕の考えに照らして、道徳的かどうか。答えは、将来の研究に待ちたいと思っています。

ＡＩを含めた人工物に関しても同様です。カントは理性的人工物、ましてや道徳的人工物など一切、認めないでしょう。一方、人工物、特にＡＩが理性的になりうる可能性、さらには道徳的でありうる可能性について、僕はオープンです。そのような可能性がありうるという立場に立って、これまでも、そしてこの後も議論を続けていきたいと思っています。

「人間とは何か」問題のWEターン

では、改めて問いましょう。人間とは何でしょうか？　人格とは何でしょうか？　実は僕の答えは表面的にはカントと同じです。僕も、人間性や人格のコアを道徳性に置くのです。人間とは何らかの意味で道徳的であるからこそ、人間である。人格とは、何らかの意味で道徳性を持つことです。カントと同様に、僕も、そう考えます。

一方、僕とカントでは、答えの内実は大きく異なります。いや、真逆だと言える点も多々あると思います。なぜでしょうか。

簡単に言えば、カントはWEターン以前の哲学者、僕はWEターン以後の哲学者だからです。WEターンを経ることで「人間とは何か」という問いの立て方も変わります。その問い自体がWEターンするのです。では、その「人間とは何か」問題のWEターンを見ていきましょう。

第一講で様々なWEターンについて語る中で、WE、言い換えると「われわれ」の不可逃脱性についてもお話ししました。「われわれ」は「わたし」、そして人間にとって着脱可能な衣装のような存在ではない。「われわれ」をすべて脱ぎ去っても残る「裸のわたし」などは幻想だ。そういった話をしました。

言い換えると、「わたし」ないしは人間は、好むと好まざるとにかかわらず、つねに既に必ず、「われわれ」のメンバーであり続けるのです。「われわれ」のメンバーであることは「わたし」や人間にとって、そこから逃れられないあり方なのです。WEターンを経た後の、言い換えるとポストWEターン的な「人間とは何か」問題に対する第一の答えは、「われわれの一員」なのです。

「われわれ」のメンバーであるとは、「われわれ」の中に一定の位置を占める、その中で一定の役割を果たしていることでもあります。他のエージェントと同様、人間もまた、つねに既に必ず、「われわれ」の中にあって、一定の位置や役割を持っているのです。

このように見てくると、ポストWEターンの「人間とは何か」問題に対する第二の答えが得られます。人間とは「われわれの中で一定の位置を占め、一定の役割を担っているもの」なのです。

言い換えると、ポストWEターンでは、「人間とは何か」を問うことは、「われわれ」の中での人間の位置と役割を問うことなのです。逆に言うと、「われわれ」から人間だけを取り出して、「われわれ」における位置や役割を度外視して「人間とは何か」を問うことは、ポストWEターンでは、もはや無意味な作業となってしまうことになります。

「われわれ」を無視し、人間だけを議論のまな板に乗せて、人間性や人格の本質は知性か、感情か、はたまか意志かとあれこれ考えるのは、「われわれ」の不可逃脱性という根源的な事態を見誤った、間違った態度なのです。

カントやその他の哲学者たちは、「われわれ」における位置や役割を無視して、「人間とは何か」を問うていました。その点で、彼ら彼女らは、決定的にWEターン以前の哲学者だったのです。

「人間とは何か」を「われわれ」から切り離された存在としての人間を対象として問うことから、「われわれ」の中での人間の位置や役割を問うことへとシフトさせること、これは「人間とは何か」問題のWEターンなのです。

では、改めて問いましょう。人間は「われわれ」の中で、どのような位置を占め、どのような役割を果たしているのでしょうか。

「われわれ」のよさ／悪さ

第四講でも詳しく論じますが、ここでは「われわれ」における人間の位置、役割を問うために、さらなるWEターンである、「『よさ』のWEターン」について触れておきましょう。

ここで言う「よさのWEターン」とは、「よさ」や「悪さ」の主体や単位が、「わたし」から「われわれ」へとシフトする、いやすべきだ、という主張です。

この世の中には、「よいわたし」もいれば「悪いわたし」もいます。善人もいれば悪人もいます。僕もあなたも時には善人になったり悪人になったり、さらには同時に善いところも悪い点も持っていたりもします。

ＷＥターン以前では、まず「よいわたし」、「悪いわたし」がいて、その後、「よいわたし」が集まって、ないしは影響力を発揮して「よいわれわれ」が生まれたり、「悪いわたし」が徒党を組んで「悪いわれわれ」が出現する。このように考える向きもあったと思います。しかし「よさのＷＥターン」の観点からは、このような考えは本末転倒です。

ポストＷＥターンでは、まず「よいわれわれ」があり、「わたし」は「よいわれわれ」の一員であることで初めて「よいわたし」になるのです。「悪さ」についても同様です。まず「悪いわれわれ」がいて、「わたし」はそのような「悪いわれわれ」のメンバーであることで、「悪いやつ」になってしまうのです。

このことは、この世の中には、「よいわたし」や「悪いわたし」がいるように、いやむしろ、それに先立って、「よいわれわれ」と「悪いわれわれ」がいることを意味します。つまり「われわれ」とはつねに良いものとは限らないのです。「わたし」から「われわれ」へとシフトしたとしても、それだけでは世の中は良くなりません。ポストWEターンの社会と言えども、そのままでは薔薇色の未来でも、ユートピアでもないです。

ここで言う「われわれの悪さ」とは、簡単に言えば全体主義的であること、すなわち外部に対しては排外主義的であり、内部に対しては抑圧的であることを意味します。言い換えると、「悪いわれわれ」とは、外に向かっては敵愾心を燃やし、内に対しては過剰な同調圧力をかける、そのような「全体主義的なわれわれ」なのです。

このような「全体主義的なわれわれ」の不幸な実例が、現在の世界においても、いろいろなレベルで、いろいろな意味で後を絶たないことは、多くの人が、残念ながら認めざるを得ない事実だと思います。

「われわれ」にとって、全体主義は他人事ではありません。現代社会のあちこちで生じてしまっている全体主義。それはすべて「われわれ事」なのです。ウクライナ戦争も「われわれ事」です。宗教二世問題も「われわれ事」なのです。

われわれの責任、メンバーの責任

ＷＥターンで言う「われわれ」とは、何よりも身体行為の主体でした。それは行為する「われわれ」だったのです。行為には結果が伴います。その行為によって、何らかの意味での全体主義的な結果が引き起こされてしまった場合、「われわれ」には結果責任が生じます。「われわれ」はこの行為の結果責任を何らかの仕方で負わなければならないのです。

一方、すべての行為に先立って、ないしは行為を為すにあたって、すべての「われわれ」は、あらかじめ、全体主義的結果を回避する予防的な責任を負うことにもなります。行為する「われわれ」が、その行為にあたってなすべきことは、全体主義に陥らないこと、自らを少なくともより全体主義的でないようにすること。外に対する排外的態度を改め、内に対する抑圧的な態度をやめるよう努めることなのです。

このような「全体主義の回避」は、すべての「われわれ」に課されたなすべき事柄、即ち道徳的要請です。そして、この、自分自身をより良くする、より全体主義的でないようにするという道徳的要請は、「われわれ」と共に、「われわれ」の全てのメンバーが分担して負わねばならない責務でもあるのです。

「われわれ」のメンバーには、例えば、自転車に乗っている「わたし」以外にも、自転車や道路や石ころも含まれていました。「え！　石ころも、道徳的責任を負うのか？」と驚かれる向きもあろうかと思います。僕の答えは、驚くべきことに「イエス」です。

ただし、全てのメンバーが同じだけの責任を、同じように負うわけではありません。「われわれ」をより良くする責任の重さ、責任の果たし方は、エージェントごとに異なります。石には石の、そして人間には人間の責任の担い方があるのです。そして、このエージェントごとに異なる責任の担い方こそが、そのエージェントが持つ「われわれ」における位置や役割に他ならないのです。

ポストWEターンの「人間とは何か」問題とは、「われわれ」における人間の位置や役割を問う問題へと変貌を遂げました。そして、その「われわれ」における位置や役割とは、「われわれ」よくするために人間が分担している、人間固有の責任に他ならないのです。「われわれ」の中で人間が担っている独自の責任のあり方、それが「人間とは何か」の答え、人間性や人格の正体なのです。

人間が負う「未来責任」

では人間は、「われわれ」の中で、どのような責任を担っているのでしょうか。どのような仕方で「われわれ」の責任を分担しているのでしょうか。

いま自転車が路上の石に乗り上げて、よろめき、歩行者とぶつかり、怪我をさせてしまったとしましょう。ここでは、自分の都合で行為をする中で、他者に一方的に傷を負わせてしまったという結果が発生しています。これも他者に対する一種の抑圧です。その意味では、このような行為も、一種の全体主義的振る舞いなのです。

このような悪い行為結果に対して、「われわれ」は全体として責任を負わねばなりません。「われわれ」のすべてのメンバー、「わたし」のみならず、自転車や、石ですら、一定の責任を負わねばならないのです。例えば、石は路上から排除されることになるでしょう。石は、排除されるという仕方で、その責任を問われ、負わされるのです。

もちろん自転車を運転していた「わたし」にも相応の責任が発生し、「わたし」はそれを負わねばならないことになります。そしてその責任の負い方、果たし方は、石とは大きく異なります。

まず「わたし」は被害者に対して、衷心から謝るべきです。場合によっては、怪我の手当てをしたり、治療費や慰謝料を払うという事態になるかもしれません。前方不注意を理由に道路交通法上の責任を問われる可能性もあります。これらの謝罪する賠償する罪を償うといった責任は、過去の行為に対する責任です。それはいわば過去に向けられた「過去責任」なのです。

これで終わりではありません。もう一つ、決定的に重要な責任が、「わたし」には発生しているのです。「過去責任」に加え、「わたし」が負うことになるのが「未来責任」です。「わたし」は、「今後は、二度と事故を起こさないよう、より一層注意して自転車を運転しなければならない」という未来の行為に対する道徳的要請、未来に対する責任も負っているのです。

一般的に言って、「二度と過ちを起こさないようにするべき」という道徳的要請に応えること。これが、「わたし」が過去責任に加えて負うことになる未来責任なのです。


では「わたし」はなぜ、このような未来責任を担っているのでしょうか。それは「わたし」が「未来」を持っているからです。正確に言うと、「わたし」には、「過去とは異なりうる」と言う意味での「本当の未来」があるからなのです。

今回「わたし」は自転車事故を起こし、他人に迷惑をかけてしまいました。もしその事故の原因が避けられないものであった場合、「わたし」には過去責任も未来責任も発生していなかったでしょう。事故原因が、例えば前方不注意といった避けられうるものだった場合に限り、過去や未来に対する責任が生じるのです。

「わたし」は、より注意深くあり得たのに、そうしなかったから責任を問われているのです。「わたし」は、ある行為をできるのにしなかったのです。では、次は、そのできることを、きちんと果たせばよいのです。「できることをしなかった」過去を変えればいいのです。そして、その「しなかったこと」がまさに「できること」であったがために、「わたし」は未来を変える可能性を手にしているのです。「できることをしなかった存在」であったがために、まさにそれ故に、「わたし」は「未来を変えられる存在」、「未来変更可能者」でありえているのです。

石や自転車は、「わたし」とは異なり「できることをしなかった存在」ではありません。そもそも石について、「できることをしなかった」と語ることは意味をなしません。故障して動けない自転車も、「できることをしていない」わけではありません。それは本当に、動けないでいるのです。故障した自転車にとって「動くこと」は端的にいって「できないこと」なのです。

「できなかったことをしなかった」存在者、そしてそれ故に「未来を変更する可能性」を有し、未来に対して責任を負いうる存在者は、今のところ人間だけです。その意味で未来責任は、優れて人間的な責任なのです。

先にも述べたように、僕は人間以外のある種の動物も、このような意味での未来変更者でありうると考えています。もしそのような動物たちも未来変更者であった場合、ここで言う「人間」には彼らも含まれることになります。

つまり未来変更者として未来責任を負っていること、自分の過ちを反省し、二度とそれをくり返さないと決意し努力すること。これが「われわれ」のメンバーの中で人間が、そして差し当たっては人間のみが持つ独自性です。それが、「われわれ」の中で、人間が立つ立ち位置、人間が担う役割です。それが「人間とは何か」についてのポストWEターン的な解答です。未来変更可能存在として、「われわれ」の中で未来責任を担っていること。これが人間性や人格の正体なのです。

道徳的エージェント

人間が「未来を変えられる存在」であり「未来責任を負う存在」であるということは、人間が「道徳的エージェント」であるということを意味しています。

改めて第六講でお話ししますが、僕の言う「道徳的エージェント」とは、悪い結果を避けることもできたのに、「あえて」ないし「わざと」ないし「ついつい」ないし「知らず知らずのうちに」、悪いことをしてしまうエージェントです。別の言い方をすれば、そのような様々な仕方で、「悪いこともできてしまうエージェント」なのです。自動的に「良いこと」しかしない、より正確に言えば「良いことしかできない」エージェントは、「道徳的自動販売機（モラルベンディングマシーン）」にすぎず、本当の意味では「道徳的エージェント」ではない。僕は、そう考えているのです。

「悪いこともできてしまう」道徳的エージェントとは、上の表現を用いれば、「できたのに、しなかった」エージェントとも言えます。道徳的エージェントとは、「できることをしなかった」存在者になりうる可能性、危険性をつねに抱えている存在なのです。

前方不注意によって自転車事故を起こした「わたし」は、このような可能性を孕んでいた道徳的エージェントでもあったのです。このような道徳的エージェントであるからこそ、「わたし」は過去責任と未来責任を共に問われる存在なのです。

すると上で「できることをしなかった存在者」、それ故にこそ「本当の未来を持っている存在者」についてお話ししたことは、すべてそのまま道徳的エージェントにスライドできることになります。即ち差し当たっては「われわれ」のメンバーの中で人間のみが道徳的エージェントとして、過去責任のみならず未来責任をも負っているのです。道徳的エージェントであることが、人間は「われわれ」の中で道徳的エージェントという独自の位置を占めています。また人間は「われわれ」の中で道徳的エージェントとして未来責任という独特の責任を担っているのです。「道徳的エージェントであること」が「人間とは何か」のポストWEターン的な解答の一つです。WEターンの観点から言えば、「人間性」とは上記のような意味での「道徳性」を意味します。「人格を持つ」とは、そのような意味での「道徳性を持つ」ことに他ならないのです。

もちろん、「できたのに、しなかった」ことや、「しなかったことを、次回はやろう」と決意したり、そのように努力したり、実際にそのようにすること、一口で言って、道徳的エージェントとして振る舞うことは、「わたし」一人でできることではありません。これらも、「わたし」が「われわれ」の一員として、他の多くのメンバーに支えられて、初めて、遂行することができる行為なのです。

言い換えると、それは自足性と言う意味での自律性の発揮ではありません。それは自律性をめぐるゼロサムゲーム*24から降りた他者との協働行為なのです。「わたし」は、あくまで、他のメンバーと協働して、「われわれ」の一員として道徳エージェントとしての責務、未来責任を果たす役割を担っているのです。

*24―参加者の得点と失点の総和（＝サム）が「0（ゼロ）」になるゲームのこと。「ゲーム理論」と呼ばれる経済理論で使われる言葉の一つ。

以上、「人間とは何か」についてのポストWEターン的解答を見てきました。答えは、「われわれ」の中で人間が有する固有の位置、役割の中にありました。そしてその固有の位置、役割とは、道徳的エージェントとして過去責任のみならず、未来責任をも担うことでした。人間とは、「こんな悪い行為を二度と繰り返してくれるな」という切実な声を聞き取り、「過ちを二度と繰り返さない」という決意のもと、自らが属する「われわれ」をよりよいもの、より全体主義的でないものへと鍛え上げていく責任を負う存在でした。その意味で、人間性、人格とは「道徳性」に他ならないとされたのでした。

このように「人間とは何か」に対する僕の答えは、表面的にはカントと一致します。でも、その中身、答えにいたる道筋は、カントとは大きく異なります。僕とカントとの間には、WEターンが横たわっているのです。僕は、カントと異なりWEターンという「知のルビコン川」を渡ったのです。

再び、AI進化論へ

「本講の最初に示したシナリオにそってAIのバージョンアップが進展した場合、どの時点でAIは人格を持つようになり、人工的な人間、即ち「e-ひと」が登場するのか」という上で掲げた問いに戻りましょう。答えはすでに明らかでしょう。「やれるのに、できなかった」という可能性を装備し、場合によっては悪いこともしてしまうという意味での「道徳的AI」が登場して初めて、「e-ひと」が出現するのです。

自律的AI、目的設定AIはもちろんのこと、自己目的設定AIすらも、人間と呼ぶには役不足なのです。そして「親友」を人間に限るとすると、親友としてのAIも、また道徳的AIである必要があります。

こうして見ると、親友としてのAIの登場には、様々なハードルがあることが分かります。そのようなハードルをどうやって超えていくのか。それはこの後の講義で考えていきたいと思います。

その際にも重要になるのは、先にも言ったように、常にAIのバージョンの区別を念頭に置いて議論をすることです。現にあるAIについて語っているのか、いまはまだ実現されていないが、将来、出現しうるＡＩについての思考実験をしているのか、それをつねに明らかにすべきなのです。

僕としては、第五講以降、ＡＩさらにはロボットや人工物・製造物一般に対する、Ｗｅターンを踏まえた提案も行うつもりです。この提案においてもＡＩの区別を念頭に、異なったバージョンのＡＩに対して、それぞれ異なった提案をしたいと思っています。

第三講 AIは奴隷か

主人／奴隷モデル

以下では、ＡＩのみならずＡＩを搭載したロボットについても考えていきましょう。日本におけるロボットのイメージの一つのモデルは『鉄腕アトム』[*25]『ドラえもん』[*26]など、ＳＦ漫画やアニメのキャラクターでしょう。これらのキャラクターは、しばしば人間と対等な存在、場合によっては「親友」として描かれてきました。

しかし、このようなイメージが全ての文化圏において共有されているとは限りません。実際、ヨーロッパの学界では、このようなイメージとは異なるロボット観やＡＩ観を見てとることもできます。その典型例が、「主人／奴隷モデル」、即ち人間を「主人」、ＡＩ・ロボットをその主人に仕える「奴隷」ないし「召使い」と捉える考え方です。

＊25―漫画家・手塚治虫のＳＦ漫画。21世紀の未来を舞台に、原子力をエネルギー源として動き、人と同等の感情を持った少年ロボット・アトムが活躍する。

＊26―漫画家・藤子・Ｆ・不二雄による児童向けＳＦギャグ漫画。何をやっても失敗してしまうのび太と、未来からやってきた猫型ロボット・ドラえもんの友情を描いた名作。

「主人／奴隷モデル」の提唱者はブライソンです[*27]。彼女は、まず人間とロボットの間には前者を「デザイナー」、後者を「デザインされたもの」という関係が成り立っていると指摘します。そしてこの関係は決して逆転されることがないとされます。両者の間には、「デザイン」をめぐって、「するもの」と「されるもの」という一方的、非対称的な関係が動かし難く横たわっているとされるのです。

このデザインをめぐる非対称性から、ブライソンは、利益や目的や価値観をめぐる非対称を導き出します。「デザインされたもの」は、デザイナーの利益や価値観に一方的に奉仕すべき存在だとされるのです。利益や価値観に関する一方的な奉仕者が「奴隷」、一方的に奉仕される側が「主人」です。結局、ロボットやＡＩは自らのデザイナーである「人間」の「奴隷」である、いやあるべきだ、とされるのです。

このようなモデルを踏まえつつ、人間は、ロボットやＡＩを優しく大切に扱うことで、その尊厳を守る「徳の高い」、「有徳」な主人になるべきだという考えも提案されています。ただ、この「有徳主人モデル」でも、人間とロボット・ＡＩが対等な「仲間」になることは行き過ぎだとされています。いぜん、両者の間には利益や価値観をめぐる非対称性が設定されているのです。

＊27―ジョアンナ・ブライソン。（１９６５〜）ＡＩおよびＡＩ倫理の研究者。ベルリンのハーティー大学教授。「ロボットは奴隷でなければならない」という主張で知られる。

人の自由を侵すAIを開発してはいけない？

主人／奴隷モデルは人間とロボットの間のあるべき関係に焦点を当てた議論でしたが、人間と技術的人工物一般に話を広げ、両者間のあるべき関係を問うた現代の哲学者として、オランダの技術哲学者・フェルベークがいます。

彼の議論、特に彼が提案した、人間と人工物の間の関係の「よさ」に関する「フェルベーク基準」（と僕が呼ぶもの）は、主人／奴隷モデルと接続可能です。フェルベーク基準は主人／奴隷モデルを一般化したもの、逆に言えば、主人／奴隷モデルはフェルベーク基準を人間とロボットの関係へと特化したモデルとも言えます。言い換えると、主人／奴隷モデルはフェルベーク基準を満たしたモデルなのです。

フェルベークの技術哲学の第一の特徴は、人間と技術とを切り離して、それぞれの倫理を問うのではなく、両者が結びつき、一つのユニット構成したもの――これを彼は「人間―技術連関（human-technological association）」と呼びます――の良し悪しを論じようとする姿勢です。[*28] これはつまり、ＡＩやロボットなどの技術に関する倫理的問題は、それだけを取り出して論じるのではなく、あくまで人間とどのように関係するのか、という視点から考えなければならないということです。

＊28―Verbeek, 2011, Moralizing Technology: Understanding and Designing the Morality of Things, p.13を参照。

彼の言う「フェルベーク基準」も、正確には、この「人間―技術連関」が満たすべき基準だということになります。

ちなみに、この「人間―技術連関」という考えは、人間と人工物を共にメンバーとして持つ「われわれ」を想定し、個々のメンバーの良し悪しに先立って、「われわれ」の良し悪しを論じる僕の立場と極めて親和的です。

先に触れたように、「フェルベーク基準」は、人間と技術的人工物一般の「良し悪し」に関する基準という極めて抽象度が高い概念装置ですが、これをさらに抽象化すると、「人間と技術はどのような関係であるべきか」という問題に関して、「自由」という概念を中核とした、次のような基準が得られると思われます。

技術の自由基準

良い技術、良い技術のデザイン、良い技術の使用法、良い人間と技術の関係とは、「自由」を損なわず、それを促進するものでなければなりません。

逆に言えば、「自由」を毀損し、妨げるものが、悪い技術、悪い技術のデザイン、悪い技術の使用法、悪い人間と技術の関係に他ならないのです。

このような自由を守っているかどうか、自由を犯していないかどうかが、人間と人工物の間の関係（ないしは両者からなるアソシエーション）の「良さ」と「悪さ」を分ける分水嶺であります。これがこの「自由基準」の基本的なスタンスです。

第四講で話しますが、「自由」には様々なバージョンがあります。それのどれを採用するかによって、この自由基準の具体的な内容も変わってきます。

このような自由基準を暗黙裡に前提した上で、フェルベーク自身は、彼が「フーコー的自由」と呼ぶ自由概念を採用し、それをこの自由基準に装着していると見なすことができます。

ちなみに「フーコー的自由」とは、20世紀のフランスの思想家、ミシェル・フーコーが唱えた「自由」概念だとされるもので、「様々な社会的・文化的・政治的制約の下で、自分で自分を自律的に作り上げていく」という自由です。

これは現代哲学においてしばしば「相対的自律性（relative autonomy）」と呼ばれている「自由」概念の一種だと見なせます。相対的自律性とは、一切の制約なしに発揮される「絶対的な自律性（absolute autonomy）」とは対照的に、様々な制約の下で発揮される自律的自由を意味します。

この相対的自律性においては、自由の主体とそれを制限する条件との間で、自律性をめぐるゼロサムゲームが想定されていることが見て取れます。相対的自律性、そしてフーコー的自由とは、次に第四講で見る「わたしの自律的自由」の一種に他ならないのです。

つまり、先の「自由基準」の「自由」の箇所に一種の自律的自由を組み込めば、フェルベーク基準が得られることになるわけです。

フェルベーク基準

良い技術、良い技術のデザイン、良い技術の使用法、人間と技術との良い関係とは、「私の自律的自由」(の一種)を損なわず、それを促進するものでなければならない。

逆に言えば、「私の自律的自由」(の一種)を毀損し、妨げるものが、悪い技術、悪い技術のデザイン、悪い技術の使用法、人間と技術との悪い関係に他なりません。

このような基準に従って、フェルベークはＡＩをも含めた様々な人工物と人間の関係の良し悪しを見極めていくことになります。

例えば、「フードフォン」というアプリサービスがあります。これは利用者が、自分がこれから飲食する食べ物や飲み物の写真を撮り、それをアプリにアップロードすると、それらの飲食物のカロリーや栄養素が直ちに分析され、栄養学的観点からのアドバイス—例えばカロリー過多といった—が得られるというサービスです。

このフードフォンは、一見すると利用者の健康に配慮した素晴らしいAIに思えますが、このフードフォンに対しても、フェルベーク基準の観点から問題点が指摘されることになります。

具体的には、このようなアプリは、栄養学的健康というアプリが前提している価値観を、利用者に一元的、一方的に押し付けることで、利用者が、様々な制約の下ではあっても、自分で自分の価値観を作っていくという自律的自由、言い換えると自分で自分を構成していくフーコー的自由を、知らず知らずのうちに損なってしまっているという批判が展開されるのです。

このようなフェルベークの指摘はとても鋭いと思います。

また、後で述べるように、僕自身も、彼が暗黙裡に前提している「技術の自由基準」を採用します。一方、すでに第四講でお話したように、僕は自由のＷＥターンを遂行することで、自律的自由も含めた「わたしの自由」に代えて「われわれのやわらぎ自由」を提唱したいと思っています。

また、これも既に触れたように、僕はゼロサムゲーム的な自律性概念自体を認めないという立場に立っています。このような観点をとる以上、僕としては、「相対的自律性」や「フーコー的自由」をも含めた「自律的自由」を認めるわけにはいかないのです。

結果として、第五講でお話しするように、「フーコー的自由」を奉ずるフェルベーク、そして彼が提案するフェルベーク基準とは袂をわかつことになるのです。

「仲間」ロボットは禁止？

ヨーロッパでは今後、ＡＩ・ロボット研究の分野ではフェルベーク基準や主人／奴隷モデルが一つの指針となり、開発が進められていく可能性があります。

しかし、主人／奴隷モデルが欧米のスタンダードになっていく場合、日本のＡＩ研究のさらなるガラパゴス化が懸念されます。

一方、日本の研究者が開発を進めているロボット・ＡＩの中には、本講の冒頭で触れた「アトム」や「ドラえもん」をモデルとした仲間や親友をイメージしたものも見受けられます。このような「仲間ロボット」は、必ずしもフェルベーク基準や主人／奴隷モデルにそぐわない可能性があります。仲間ロボットは人間に「忠告」を与えることもあるでしょうし、人間に対して、「何がよいことなのか」を一緒に考えよう、と呼びかけたりすることもあるかもしれません。このような態度は、フェルベーク基準や主人／奴隷モデルの観点からは、人間の自律性の侵害、人間に価値観に一方的に奉仕すべき奴隷の分際を超えた振る舞い、とされるでしょう。「仲間ロボット」は作ってはいけない。そのような結論が導かれる可能性があるのです。

本来、世界には様々な価値観や考え方が存在しています。フェルベーク基準や主人／奴隷モデルといったヨーロッパ的な立場ももちろんそのうちの一つです。同様にして日本やアジア、アフリカ、中東などなど、僕たちはそれぞれの地域・文化に応じて独自の価値観・考え方を持っているはずです。

僕たちが目指すべきなのは、単一の価値観・考え方ですべてを塗りつぶしたり、対立する立場同士で覇権争いをすることではないはずです。そうではなく、お互いの価値観・考え方を認め合うような多層的な社会を作り上げていくべきだと思います。

そしてそのためには何より、自分たちが持つ価値観・考え方をきちんと言葉にし、異なる立場の人たちと対話を続けていくことが大事です。

第四講

AIと自由

「自由」の多元性

前の講義では、ＡＩ技術の良し悪し、ＡＩの良し悪し、人間とＡＩの関係の良し悪しの鍵を握るのが「自由」という概念であることを確認しました。

そして自由とは、差し当たって、個人としての人間、即ち「わたし」が持つ、自律性[*29]、自己決定性、専決性だと理解されていることも見てきました。

しかし、「わたしの自律性」としての「自由」が唯一の「自由」なのでしょうか？　それ以外の「自由」概念はありえないのでしょうか？

第一講では「ＷＥターン[*30]」という考えを紹介し、行為者や自己のＷＥターン、さらにはウェルビーイングや責任や権利のＷＥターンについて論じました。その際、自由についてもＷＥターンが起こりうることも予告しておきました。そこでは「わたしの

＊29―「自律性（autonomy）」とは、自分のことは自分で決められること。自己決定性。

＊30―「わたし」の行為は、「われわれ」の行為であると認識すること。

自由」には解消、還元されない「われわれの自由」なるものが存在しうる可能性が示唆されていたのです。

このように僕は、「わたしの自由」以外にも、それとは異なる「われわれの自由」があると考えています。また「わたしの自由」に話を限っても、「自律性」以外の他の自由もありうると思っています。


繰り返しますが、技術やAIをめぐる現在の議論の多くは、個人の自律としての「わたしの自由」を前提に組み立てられています。フェルベーク基準や主人／奴隷モデルもそうでした。

今、自由概念が多様だとして、自律とは別の自由概念を基軸に据えて、そのうえでAIと人間の関係についての善悪の基準や、AIと人間の関係についてのモデルを考えていけば、これまでの基準やモデルとは異なった、オルタナティブな考えを提案できる可能性が開けます。そして、以下で僕が試みるのは、まさにそのような作業に他なりません。

ということで、ここで、再び問いましょう。自由とは何でしょうか？

すでにお話ししているように、そしてこの後、確認するように、この問いに関しては「唯一正しい答え」というものはありません。文化や思想伝統の違いに応じて、答えもまた変わってくるのです。

ただし、文化・思想伝統ごとに答えが異なるといっても、それら多様な「自由」概念が互いにてんでバラバラというわけではありません。それらの複数の異なった概念は、「自由」と一括して呼ばれるに値する、緩やかなまとまりを成しているのです。それらの間にある共通項を見出すことも可能です。文化の違いを超えた一定の枠の内で、多様なあり方を示している概念なのです。その意味で、「自由」とは完全に文化相対的な概念ではなく、むしろ多元的な概念とみなされるべきものでしょう。

では、その共通項とは何でしょうか。僕は、まず第一に「悪い束縛から免れている（ないしは、免れてある）こと」だと考えています。もちろん、何が「悪い束縛か」は文化圏・思想伝統によってさまざまです。その結果、すでに述べたように、「自由」概念自体も、文化・思想伝統によって変わるのです。

第二に、それが何らかの仕方で行為に関わっているという「行為関与性」も指摘できます。もちろん、どのような仕方で行為に関わっているのかは、個々の「自由」概念ごとに異なることになります。以上のことは「わたしの自由」にも「われわれの自由」にも当てはまります。

とはいえ、まずは「わたしの自由」に焦点を絞り、「自由」概念が見出されることを確認していきましょう。

これから話す「わたしの自由」とは、すでに触れた「自律としての自由（自律的自由）」、それから仏教思想における「自在としての自由」、老荘思想における「自遊としての自由」です。これらを順に見ていきましょう。

自律としての自由

第三講で論じた「自律としての自由」をあらためて取り上げましょう。

この自由で想定されている「悪い束縛」とは、個人の思考や行動が他者によって決定されていること、即ち「被決定性（determinedness《デターミンドネス》）」です。このような自由概念が生み出された当初、想定されていた個人の思想や行動を、いわば「外から決定する決定者」は、キリスト教的「神」[*31]でした。それを上手に「決定論的で必然的な物理

＊31―アジアには、すべてを決定する神というスーパー決定者という発想はなかったので、このような「自律的自由」概念も希薄だったと言えます。

法則」にすり替えたのがカントです。

「神」や「物理法則」を想定し、「わたし」の考えや振る舞いすべてをこれらの決定者によって他律的に決定されているとしましょう。すると、「わたし」の行いは、すべてこれらの決定者が「わたし」を操った結果、生じていることになります。

その場合、行為の責任を「わたし」に負わせることはできないでしょう。結果として、誰も自分の行為に責任を持たない、持てない事態、さらに言えば、少なくとも個々の人間が持つべき「行為の責任」という概念自体が意味を失う事態になります。

倫理や道徳が、少なくとも個々の人間にとって無意味と化してしまいます。

こういった倫理や道徳が無意味化する事態は、「良くない」「悪い」と考える人も少なくないでしょう。倫理を無意味化しかねない「わたし」の自律性の否定や抑圧が起き、「被決定性」は「悪い拘束」ということになるはずです。

次に「行為関与性」について目を向けてみましょう。

「自律としての自由」に行為はどう関わっているのでしょうか。自律的自由は、行為が始まる段階、つまり行為が意図され、発動される状態に焦点を当て、その発動が自律的か他律的かを問題にします。

そして、行為が自律的に発動されていることが「自由」、そうではない事態が「不自由」だとされるのです。

ここには、行為発動のヘゲモニー[*32]をめぐって、「わたし」と（「神」や「必然的な物理法則」をも含む）他者がゼロサムゲーム的なヘゲモニー争いを繰り広げているという光景が浮かび上がります。

例えば、他者が自らの自律性を発揮すればするほど、「わたし」の自律的自由が目減りしていき、「わたし」がますます他律的になるという構造が見て取れるのです。

結局、自律的自由とは、行為の発動が他者によって決定されていないこと、他者による行為の発動の被決定性を免れていることに他なりません。それは――「ひ」が二つ重なってややこしいですが――「非被決定性（undeterminedness）」とでも呼べる「わたしの自由」なのです。

ちなみに東アジアの思想伝統では、キリスト教的な神や必然的な物理法則といった

＊32―覇権を指す。

「わたし」の自律性を脅かしかねない「スーパー決定者」は、そもそも想定されていません。従って、そのようなスーパー決定者による被決定性を問題視したり、それに対抗する「非被決定性」としての「わたしの自由」を守ろうという姿勢も、それほど前景化してこなかったのだと思います。

とはいえ、東アジアには「自由」概念がなかったわけではありません。そこには「自律的自由」とは異なる「わたしの自由」概念が、脈々と息づいていたのです。そのような東アジア的な自由概念の例として、仏教思想に見られる「自在的自由」と老荘思想における「自遊的自由」について見ておきましょう。

仏教思想に見られる「自在的自由」

仏教思想における「自在的自由」。この概念が顕著に見て取れるテキストとしては、大乗仏教の経典『大般涅槃経《だいはつねはんぎょう》』[＊33]があります。このテキストは4世紀頃にインドで成立したとされていますが、その後、東アジアにもたらされ、中国や日本を含めた東アジア仏教に大きな影響を与えました。このテキストには「八大自在我」[＊34]という概念が登場しますが、そこに「自在（＝ishvara《イシュバラ》）」[＊35]としての「自由」概念が読み取れると、僕は考えています。

＊33―仏教経典。サンスクリット語でマハーパリニルバーナ・スートラという。略して『涅槃経』。ブッダの入滅に関して説いている経典。簡単に言うと、お釈迦様が悟りをひらかれて、人間としての生涯を閉じるところまでを描いている。

＊34―涅槃の四徳（常、楽、我、浄）のうち、「我」は自由で妨げがなく、ブッダの法身であり、八つの大いなる自由を有することを指す。

＊35―「主人」「神」など「力を有する者」を意味するサンスクリット語。

この「自在的自由」にとっての「悪い束縛」とは、行為を行う能力の「制限・限界（bound/limit）」に相当します。言い換えると、「自在的自由」とは、能力が「制約・制限」を免れていること、能力の「無制約性[*36]（unboundedness/unlimitedness）」を意味するのです。

このように、行為の発動が自律的か他律的ではなく、行為遂行能力に限界があるかどうかが問題なのです。そして、行為遂行能力に限界がない状態が、「自在」としての自由だとされるのです。ちなみに、このような行為能力の無制約性という概念は、仏教思想だけでなく、例えばヘーゲルにおいても見られます。

老荘思想における「自遊的自由」

老荘思想における「自遊としての自由」は、中国の老荘思想、特に『荘子《そうじ》』[*37]に登場する「遊」や「逍遥《しょうよう》」[*38]といった概念においてうかがえるものです。

この場合の「悪い束縛」とは、「規則（rule）」ないしは「規則に縛られていること（rule governed）」だと言えると思います。すると、ここでの「自由」とは「規則か

＊36―無限界性ともいう。

＊37―2300年前頃、中国の戦国時代中期に成立した古典。

＊38―そぞろ歩きともいう。

ら脱していること」「規則に縛られていないこと」、すなわち「柔軟性（flexibility）」や「自発性（spontaneity）」を意味することになります。このような老荘的自由概念を、ここでは『荘子』の「遊」概念にちなんで「自遊」と名づけておきましょう。

この「自遊としての自由」は、行為の発動状況や行為能力ではなく、行為の只中でそれが遂行されているモードを問題にしていると言えます。行為の遂行が規則でがんじがらめになっていることが「不自由」、そのような規則にとらわれずに遂行されていることが「自由」だとされるのです。ここでも、行為がいかにして発動されたのかは、特に問題とされていないのです。

以上、背景となる文化や思想伝統を異にする三つの「わたしの自由」を見てきました。

もちろん「わたしの自由」がこれら三つに限られるというわけではありません。しかし、少なくとも「自由と言えば、自律的自由しかない」という考えは、ワンオブゼム（one-of-them）でしかない自由を不当に絶対視、特権視する見方だと言えるのではないでしょうか。

われわれの自由

次に、これまで話してきた「わたしの自由」とは異なる、「われわれの自由」という概念について話しましょう。とはいえ、このことは、必ずしも、これまで見てきた「わたしの自由」すべてを捨て去ることを意味しません。

とはいえ、「われわれの自由」は、「自律としての自由」とは一線を画します。すべての行為を共同行為だとみなすWEターンの観点から言えば、複数のエージェントと協調や協働で成り立っていることになります。このような立場であれば行為の発動に際しては、常に自律と他律のゼロサムゲームが起こっているという見方自体が疑問視されるはずです。

このようなゼロサムゲームは、絶対的な自律性を否定する相対的自律性においても前提とされていると思われます。第三講でも触れた相対的な自律性とは、「わたし」の自律性はさまざまな条件によって制限されざるをえないという考えです。ここでは「わたし」と「条件」が、自律性をめぐるゼロサムゲームを繰り広げているという考えが読み取れるのです。

また第一講で述べたように、僕は、ブッダならぬ凡人としての人間の能力はすべて有限であり、有界であるという立場をとっています。「自在としての自由」も、少なくとも人間に対しては当てはまらないことになるのです。

一方、「自遊としての自由」は、これからお話しする「われわれの自由」とも整合的だと思われます。これについては、この後、また触れることにします。

自由のWEターン

では「われわれの自由」とは、具体的にどのようなものなのでしょうか。

その手がかりとして、ここでは「ネオロマン主義」を掲げてみましょう。ネオロマン主義とは「幸福と善と自由の一致」を目指した思想です。

この下敷きとなるロマン主義[*39]は、複数の「価値」の一致、合致が理想として唱えられたものですが、具体的には真善美[*40]の一致が目指されました。

ここで唱えられるネオロマン主義とは、善と自由と幸福（ウェルビーイング）の一致を指し、「われわれ」に良し悪しを設定をしたうえで「よいわれわれ」であることが幸福であり、「よいわれわれ」の一員であることが「わたしの幸福」であるとする

＊39―18世紀末から19世紀初頭にかけての文化・思想運動。

＊40―西田幾多郎『善の研究』にも見て取れる。

考え方です。

また「悪いわれわれ」を「悪い拘束」としたうえで、「悪いわれわれ＝悪い拘束」から逃れ、「よいわれわれ」になる（である）ことが、「われわれの自由」だとします。

つまり、「われわれの自由の実現」とは、同時に「よいわれわれの実現」であり、また「われわれの幸福の実現」であるとすることなのです。これが、ここで言うネオロマン主義の具体的内実です。

「よいわれわれ」と「悪いわれわれ」

前段を踏まえると「よいわれわれ」とは何かを明らかにできれば「われわれの自由とは何か」という答えも得られることになります。では、「よいわれわれ」とはいったい何なのでしょうか。

「よいわれわれ」と言われてもピンとこない方は、その対立概念である「悪いわれわれ」とは何かを思い浮かべていただければいいかもしれません。残念ながら、この世界には「悪いわれわれ」が掃いて捨てるほどいて、あちこちで、大々的に「悪い」ことをやらかしており、場合によっては、それを僕らに見せびらかせてもいるからです。

もちろん、何が「悪いわれわれ」なのかについても人々の意見はさまざまだろうと思います。それについて完全な意見の一致を見ることは、将来にわたって難しいかもしれません。しかし、多くの人々は、過去のみならず現在でも世界のあちこちに存在し、またさまざまなフィクションや思想においてディストピアとして描かれてきた「全体主義[*41]的われわれ」こそが「悪いわれわれ」の典型例だと考えておられるのではないでしょうか。そこで、ここでは「全体主義的なわれわれ」を「悪いわれわれ」の典型例・範例だとしておきましょう。

さまざまな「全体主義的われわれ」

もちろん「全体主義的われわれ」といっても、さまざまなバージョン、タイプがあります。例えば、20世紀の社会主義・共産主義バージョンとしてはジョージ・オーウェルが『1984』で描いた、オーウェリアン・ディストピアがよく知られています。また、20世紀後半のフランスの哲学者ジャン=フランソワ・リオタールが『ポスト・モダンの条件[*42]』で描いた、効率性の名のもとですべてが一元的に支配される（後期）

＊41―全体があるから個が存在するという論理によって国家利益を優先させる権力思想、国家体制、運動の総称を指す。1920年代〜1940年代の、イタリア、ドイツ、日本などに登場したファシズムは特にその思想が強く反映されている。

＊42―1979年に刊行された。ポストモダンという概念を提示した。

資本主義バージョンもあります。

このように「全体主義的なわれわれ」、ないしは「全体主義的ディストピア」にもいろいろなバージョンがあることを視野に入れつつ、ここでは「全体主義的われわれ」の特徴を次の二つにまとめておきましょう。

それは、「外に対して排外主義的な態度をとるわれわれ」と「内に対して過剰な同調圧力をかけるわれわれ」です。これらは、それぞれ「排外的われわれ」「内圧的われわれ」とも呼べるでしょう。

この二つはオーウェルが描いたように、表裏一体の存在です。外に対して攻撃的な態度をとり続けるためには、なかのメンバーを過剰に一致団結させ続けなければなりませんし、逆に仮想的敵を立てることは、メンバーに同調圧力をかける格好の口実にもなるからです。

外と内に対するこれら二つの「全体主義的悪さ」、すなわち「排外主義」と「過剰内圧」に共通するキーワードとしては、「かたさ」や「こわばり」を意味する「ハードであること」「ハードネス（hardness）」というものが考えられます。

そもそも「われわれ」とは、「みんな」ではありません。「われわれ」は常に、その外部に「あなたたち」や「彼ら」を持ちうる存在なのです。それは「外部」を持つ存在なのです。

これはある意味では「われわれ」の宿痾《しゅくあ》と言えるかもしれません。というのも、外部にいる「彼らは」は、「われわれ」が排外主義化することで、容易に「奴ら化」し、例えばその上にミサイルを落としてもよい存在とされる危険性があるからです。

このように外部を「奴ら化」し、自らを「排外的」にするためには、「われわれ」の境界に明確に線を引き、「内と外」とをはっきりと区別する必要があります。「われわれ」の境界を、いわばコンクリートでガチンガチンに固めて、「われわれ」を要塞化する必要があるのです。

「われわれ」の境界を「固める」ことの例としては、「国籍」なるものを設定、それを厳格に管理し、国籍の変更を簡単に許さない制度をつくることで、国籍を跨《また》いだ人の出入りを制限することが挙げられます。

このように、明確な境界を持ち、結果としてその境界を超えるエージェントの流動性が抑えられた「われわれ」こそが、「かたいわれわれ」「ハードなわれわれ」に他なりません。「排外的なわれわれ」とは、このような意味で「かたい殻をかぶったかたいわれわれ」でもあるのです。

一方、「内圧的われわれ」とは、内部のメンバーを一定の価値観や利害で、これまたガチンガチンに固める「われわれ」でもあります。着る人の身体行動を制限する「拘束着」という服がありますが、「内圧的われわれ」とは、内部のメンバーにそのような拘束着を無理やり着せる「われわれ」とも言えるでしょう。このような「われわれ」もまた、「こわばったわれわれ」ないしは（「hard《ハード》」という英語を「こわばった」という意味で取れば）「ハードなわれわれ」と呼べます。

結局、「排外的われわれ」も「内圧的われわれ」も、それぞれの意味で「ハードな、かたいわれわれ」なのです。

外との交流を断つことなく、異なる意見や異質な存在も、柔軟に受け入れる。排外と抑圧のない「やわらぎ」に満たされた状態こそが、「よいわれわれ」なのです。

「われわれ」の「やわらぎ」の自由

いまや「われわれの自由とは何か」という問いに対する答えも明らかでしょう。

そもそも「自由」とは「悪い拘束」から逃れてあることでした。「われわれ」に対する『悪い拘束』とは、「全体主義的な悪さ」、即ち「内と外の間に硬い殻」を築き、かたくなることです。

すると「われわれの自由」とは、「われわれ」が排外主義や抑圧主義といった全体主義的なあり方を免れていること、「やわらいでいること」を意味します。「われわれ」を自由にするとは、「われわれ」を「やわらげること」、排外主義や抑圧主義に決別することなのです。

「わたし」の自由から「われわれ」の「やわらぎ自由」へのWEターンを敢行したとしても、「わたし」の自由がなくなるわけではありません。「自由なわれわれ」の一員であることが「わたしの自由」、「われわれをより自由」にすることが、「わたしの自由」の実現に他ならないのです。

言い換えると「わたし」は「われわれ」をより自由にする責任を負っているのです。「われわれ」を自由にする責任は、一義的には「われわれ」にあります。しかし、「わたし」も「われわれ」の一員として、その責任の一端を担い続けます。

もちろん、「わたし」や「われわれ」の他メンバーは、各々その共同行為のなかで発揮したエージェンシーの大小や種類に応じて、異なった度合いの責任を持つことになります。

これを「責任の重みづけ」と呼びましょう。この重みづけに関しても、各メンバーが各々のエージェンシーを自律的に抱いたのか、どの程度自律的であったのかではなく、分担したエージェンシーが引き起こした結果が考慮されることになるのです。

AIにとっての「やわらぎ基準」

「われわれのやわらぎの自由」を確認したうえで、次に、AI、さらには人間とAIとの関係に関する「自由の基準」に、この「やわらぎの自由」を装着してみましょう。

良い技術、良い技術のデザイン、良い技術の使用法、人間と技術との良い関係とは、「われわれのやわらぎ自由」を損なわず、それを促進するものでなければならない。逆に言えば、「われわれのやわらぎ自由」を毀損し、妨げるものが、悪い技術、悪い技術のデザイン、悪い技術の使用法、人間と技術の悪い関係に他ならないのです。

これをＡＩも含めた技術的人工物一般の「やわらぎ基準」と呼びましょう。

ここでは、技術が人間の自律性を守っているかどうかは、もはや問題ではありません。

ＡＩや人工物が、「われわれ」を全体主義的にする目的で作られたり、用いられたりすることが「悪いこと」で、全体主義に抗したり、それと戦うためにデザインされたり、使用されることが「よいこと」なのです。

第五講

仲間としてのAI

共冒険者モデル

第四講では、技術やＡＩのよさに関するフェルベーク基準に対するオルタナティブとして「やわらぎ基準」を提案しました。

以下では、その「やわらぎ基準」にそった人間とＡＩやロボットの関係についての一つのモデル、「共冒険者モデル」を構築していきましょう。

この「共冒険者モデル」は、第三講で紹介した「主人／奴隷モデル」への対案、オルタナティブとして提案されるものです。

共冒険者とは、「フェローシップ」[*43]（fellowship）、すなわち、「仲間」「仲間関係」という考えを、僕なりに捉え直したものです。その一つの原イメージを日本風に言えば、一緒にお神輿《みこし》を担いでいる者同士の関係です。一緒に神輿を肩に食い込ませ、そ

＊43―仲間、交友、共同体・組合などと訳されることが多い。

の重みを全身で感じつつ、場合によっては怪我をするリスクをも共有している人々、それが共冒険の一つの具体的なあり方です。このように共にリスクを引き受けつつ身体行為に参画する者同士が、共冒険者と呼べるのです。

この後、お話するように、メンバー間に共冒険者という関係を成り立たしめることで、「われわれ」を内部抑圧から自由にすることが可能となります。一方、共冒険者的な「われわれ」であっても、排外主義に走る危険性を残しています。共冒険者的「われわれ」であっても、直ちに「よいわれわれ」だというわけではないのです。僕らには共冒険者的「われわれ」を排外主義から解放する仕事が残っているのです。

この点を肝に銘じつつも、以下では「共冒険者モデル」に焦点を絞って話を進めていきましょう。

ちなみに、ここで言う「共冒険者関係」や「仲間関係」においては、必ずしもフェロー同士が、顔見知りである必要はありません。

例えば、仲良しではないけれど同じ会社内で働いている同僚、さらにはバスを待つのに並んでいる客同士のようなほぼ行きずりに近い間柄であっても「フェロー」「共冒険者」になりうるのです。

「舟」のメタファー

「われわれ」の身体行為は、すべて何らかの意味でのアドベンチャーに見立てられます。いろんな種類のエージェントが巨大な乗り物に乗って、関わり合い、お互いを支え合って、冒険の旅が進んでいるというイメージで語れるのです。

旅に同行するエージェントには、人間や動物、自然物、そしてAIやロボットなど人工物も加えられます。全員が、一定の役割をそれぞれに担わされたクルーです。彼らの間には、非対称的な主従関係など成り立っていないのです。

このような「われわれ」においては、AIやロボットは「わたし」と冒険を共にする共冒険者なのです。

人間であれAIであれ、皆が同じ進行方向を向いている関係、両者の間に水平的な関係が成り立っている関係がここにあります。主人と奴隷との間の上下関係がはっきりした、垂直的で非対称的な関係とは無縁なのです。

主人／奴隷モデルよりも柔軟で、「ひと」のポテンシャルが十全に発揮される、成熟性を備えたモデルだと考えています。

「共冒険者モデル」と「自由」

主人／奴隷モデルが前提していた自由とは、個人の自律的自由を守ることのみでした。そこでは人間としての「わたし」の自由のみが関心事とされ、ＡＩやロボットを含めたそれ以外のエージェントの自由は考慮に入れられていませんでした。いやむしろ、人間以外のエージェントには、そもそも自由が認められていなかったのです。

それに対して、共冒険者モデルは、「われわれ」全体に自由を認め、その結果、人間やＡＩやロボットを含め、すべての「われわれ」のメンバーに対しても自由も付与します。そしてその自由とは、「われわれ」をやわらげる自由、凝り固まった「われわれ」を解きほぐすという自由です。そして、すべてのエージェントは、意図するかどうか、意識するかどうかに関わらず、何らかの仕方で、その「われわれ」の「やわらげ」に貢献することで、その自由を実現することができると考えられているのです。

このように「共冒険者モデル」では、人間のみに自由を限定し、それ以外のエージェントを排除するという視点には立ちません。

「共冒険者モデル」は「われわれのやわらぎ自由」を採用することで、フェルベーク基準や主人／奴隷モデルとは袂を分かちます。

繰り返しますが、数ある自由の中で、「われわれのやわらぎ自由」だけが唯一正しい考えだと主張するつもりは、毛頭ありません。

ただ、自由概念を一つに固定化するルールはないのです。人間以外にも自由が認められているような、「やわらいだわれわれ」に包まれた構造が提起されてもいいのでは？　そういった代替の意見を、日本の哲学者の立場から呈しておきたいと考えています。

では、ここからはよりダイレクトにフェローシップ概念の内実に踏み込んでいきましょう。僕としては、フェローシップ関係は、「われわれ」の間に「中空性（empty-centerdness）」と言う構造、言い換えると「中空構造」を要請していると考えています。ということで、以下では、「フェローシップ」と「中空性」という二つの重要な要素について、もう少し詳しく論じてみましょう。

フェローシップ

「フェローシップ」ないしは「仲間性」「仲間関係」の基本的な特徴は、「協調性」、「参加随意性」、そして「平等性」です。

このうち「協調性」とは、「自律性をめぐるゼロサムゲームから降りること」を意味しています。これはつまり、「わたし」の主体性と「あなた」の主体性を相対する拮抗関係にあるものと考えるのではなく、「われわれ」の主体性を「わたし」と「あなた」が分担しているとみなすということです。

次に、参加随意性は、「われわれ」に参加しなくてもよいということ、また一旦参加したとしても、いつでも参加を取りやめることができるということを意味しています。

最後に、「平等性」とは何でしょうか。それは何よりもまず「リスク分担の平等性」だと、僕は考えています。

すなわち、同じ「リスク」を共有することこそが、平等な仲間であるということを意味しているのです。

これは同時に、共冒険する仲間は、脆弱な存在であるということとも意味しています。生物で言えば、切れば血が出て痛む、そして傷が残るという可能性、さらには常に「死の危険」と隣り合わせであること。無生物であっても、最終的に「無」に帰すことであったり、壊れたり、作動しなくなったり、最悪、破壊、崩壊してしまうことも同様です。

これはすべての生物のみならず、すべての自然物、人工物に当てはまります。地球環境、生態系が極めてfragile《フラジャイル》であり、vulnerable《ヴァルネラブル》であることは[*44]、社会の共通理解となりつつあります。

素粒子も、長年のうちに崩壊して存在しなくなるとされています。人工物も、壊れうるもの、そして捨てられうるものです。

マルチエージェントシステムのすべてのメンバーは、それがどのようなものであれ、このようなfragility《フラジャリティ》やvulnerability《ヴァルネラビリティ》を抱えている点で同じです。裏を返せば、この意味でAIやロボットといった人工物もまた、僕たちと共冒険者＝フェローとなる資格を持つと言うことになります。

さらに言えば、同じ目的に向かっている限りにおいて、AI・ロボットを始めとした人工物や自然物など、「われわれ」の全員が共冒険者＝フェローとして扱われる権

＊44―ヴァルネラブルとは、ラテン語のvu-lunus（傷）に由来する言葉で、脆弱性・可傷性・傷つきやすさを意味します。

利、すなわち「フェローシップ権」を持つと考えるべきでしょう。

「空っぽ」が良い社会を生み出す

主人／奴隷モデルとの違いに関係して、フェローシップやフェローシップ権からの一つの帰結として、もう一つ大きな要素があります。それはWEのもつ構造としての「中空性」、すなわち「誰もWEの中心を占有しない」ということです。僕は「中空性」をもつ「われわれ」の構造を、「中空構造」と呼んでいます。

「良い」WEを維持するために、社会全体の利益的重心、つまりWEの中心は、「空っぽ」にされるべきだと考えています。

「中空構造」は、つまるところ、誰も社会の真ん中、すなわち、利益や価値観の中心を占めないことを指します。主人／奴隷モデルの場合では「ひと」が揺るぎなく、中心に位置しているわけですが、WEターン社会では「ひと」さえも中心の位置を占めることはできません。

これは内部の抑圧、同調圧力の発生を防ぐのに、たいへん有効であると見こまれます。

主人／奴隷モデルの設計では、「ひと」という特定の存在が利益の中心にいて、その他のメンバーは中心のために奉仕しています。

このような「中心・周縁」構造は、中心にいる少数者にとっては好都合でしょうが、それ以外の周縁者にとっては、中心者に一方的に奉仕させられる事態を招きます。

動物権利問題、環境問題なども、結局は「ひと」が「われわれ」の真ん中に不動のものとして据え置かれていることから生じているとも言えます。

このような立場を、「人間中心主義」と呼びます。

「のっぺらぼー」の同調圧力

中空構造で、一つ注意すべき点は、中心は「からっぽ」ではあるけれど、周辺の「われわれ」が何らかの雰囲気や空気感、暗黙知などでお互いを縛り合い、架空の中心へ内圧が生じる状態が起こることです。

日本のムラ社会や、過疎地域での監視社会のような窮屈さですね。自縄自縛というか、目に見えない空気で「ひと」の意志や行動が規制され、無言の監視と牽制がとびかっているようなコミュニティは、フェローシップの思想に反します。ここで問題なのは、参加随意性、すなわちコミュニティに参加しない、もしくはいつでも抜けることができる権利が担保されていないということです。

「ひと」がみんな監視し合っている。それは、はっきりと言って「悪い」社会です。「中空的われわれ」であっても過剰な同調圧力をもたらしてしまう危険と無縁ではありません。

中空構造を採りつつ自縄自縛の空気を醸成させない、「われわれ」の継続的な努力は、求められると思います。

すべてを受け入れてこそ、WEターン社会へ近づく

WEターン社会の中心は「からっぽ」ですが、その周辺には「ひと」やAI・ロボットを含めた多種多様なメンバーが陣取っています。彼らはみんな、フェローシップという紐帯《ちゅうたい》で、平等にまとめられています。

「良い」も「悪い」も人間もそれ以外も、まるごと受け入れる。それがWEターン社

会の特質です。

とはいえ、「からっぽ」の中心に近い存在には、中心から遠い存在よりも高い道徳性が求められるでしょう。

われわれの真ん中の近く、すなわち、中心近傍はフェローシップのなかでも、道徳的エージェントで占められる状態が最善かと思います。モラルエージェントとしては、やはり「ひと」の優先度が最も高く設定されます。


人間以外の動物や、人工物等であっても、機能的に「われわれのよさ」に貢献できる余地があるのであれば、中心から遠くへ追いやられることはありません。

最初から道徳性を備えた「e-ひと」が最優先されるわけではなく、あくまで重んじられるのはWEの利益です。

ですので「われわれ」の利益に貢献する機能が低い、あるいはそのつもりがないと考えられる人工物、例えば虫や石や建築物などは、中心からの距離は遠く置かれます。

道徳性を持つエージェントは、中心での役割を任され、社会での優先度が高くなるということです。

主人／奴隷モデルとは根本が違いますが、「ひと」を大切にするという思想は重なっていて、現代社会の倫理観を揺るがすものでもありません。

そういう意味では、荒唐無稽で非現実的な社会モデルではないと、ここに明示しておきたいと思います。

悪い人も排除されないWEターン社会

中心は「からっぽ」でも、中心に近いところにはAIロボットを含めた「e-ひと」たちがいます。

「e-ひと」は犯罪や暴力など、明確に判定のできる「悪い」ことをするエージェントは罰則の対象となりますが、社会からの排除対象にはしません。

「WEターン社会」におけるリスクとリターン

共冒険者には、どうして分け隔てのない道徳的配慮が大切か。それは、WEターン社会は、広汎的な平等性に基づいているからです。

「e-ひと」はみんな同じアドベンチャーを共にしているクルーだと述べました。同じ船に乗っているということにたとえるならば、乗り物が同じ「われわれ」は、運命共同体という意味において、平等です。

もし事故が起きたら、みんな一緒に対処しようと協力したり、励まし合うでしょう。船内での年齢差や社会的地位、能力差など関係ありません。全員がフラットです。最悪、命を落とすかもしれないリスクも、平等に共有しています。

船内での居室のランクなど、経済的なクラス分けはあるかもしれませんが、乗っている船と運命共同体という平等な立場で、「われわれ」は一体化されています。これがWEターンのフェローシップの基本となる構造です。

リスクをフェアに分け合って、そのぶん成果も全員で受け取ります。受け取るリターンはリスク＝掛け金によって増減はあると思いますが、運命共同体という構造である以上、誰かのもとに占有的にリターンが集中するような仕組みには、なっていません。

WEターン社会は、ベットしている「e-ひと」みんながリターンをきちんと受け取れるよう構造化されています。

リスクを取ったぶんだけ、誰もがリターンを受け取り、独占はなされません。これは格差と分断が問題視されている現代社会に先んじる利点でしょう。

人間とAIロボットの「共冒険者モデル」

同じ一つの「われわれ」を共有する「仲間」同士であることをまず確認しておきましょう。

人間とロボット／ＡＩは、何よりもまず、互いに協力して（「わたし」がそこで中心的、いやパラ中心的な役割を果たしている）身体行為の共エージェントなのです。

人間とロボット・ＡＩが共に参加している身体行為とは千差万別、多種多様です。生成ＡＩを用いたコンサル企画書の作成であるかもしれません。危険な場所での産業廃棄物処理作業かもしれません。はたまた、プライベートな空間での、家族の介護かもしれません。

しかし、人間とＡＩ・ロボットが協働する身体行為がどのようなものであれ、それに対しては「われわれのやわらぎ基準」に基づく「やわらぎ要請」が発動されています。

それは「われわれをやわらげる行為」を行え（ないしは少なくとも「われわれをよりハードにする行為を行うな」）という要請です。そして「われわれをやわらげる行為」とは、人間やＡＩ・ロボット、さらにはそれら以外の多種多様なエージェントのどれをも特権的な利益中心に据えない仕方で、自分たちが属する「われわれ」をより排外的でないもの、より弱い同調圧力しか持たないものへと鍛え直す行為でした。

それが、具体的に、どのような行為なのかは、ケース・バイ・ケース、場面ごと、状況ごとに異なるはずです。また個々の具体的な状況で、その場に適した「やわらげ行為」を探し出し、同定することが難しいケースも多々あると思われます。

一方、僕らは、このような「やわらぎ行為」のパラダイム、即ち模範例や規範例と言えるものもすでに知っています。

戦争やテロや差別や搾取に加担しない、ということも「やわらぎ行為」の一例でしょう。また、特定の地域、利益団体の利益よりも、全体の利益を優先する。特定の国家の利益よりも、国際社会・人類社会の利益を優先する。人類の利益を必ずしも絶対視ないし特権視せず、地球生態系の維持・保全を図るといった行為も「やわらぎ行為」と言えるでしょう。

このような「やわらぎ行為」を遂行し、「やわらいだわれわれ」を実現するにあたっては、その遂行者である「われわれ」、ひいては、その個々のメンバーにさまざまなリスクが発生するケースが少なからずあるはずです。

共同行為に参画する者同士とは、同じようにリスクや危険を冒しているもの。例えば、御神輿を担ぐ者同士は、その神輿がひっくり返ってしまったような場合、同じように怪我をする危険性・リスクを共有する者同士でもあります。

そもそも英語で仲間を意味する「フェロー」とは、元々は、リスクを一緒に被ることを了解して、共に危険を冒す者同士のことを意味していました。

運命共同体、英語で言えば、「On the same boat」、同じ船に乗り合わせている者同士、船が沈めばもろともに海の藻屑《もくず》と消える者同士の関係をいいます。「仲間」とは、何よりも、共に危険を冒す者、共冒険者、co-adventuror なのです。

そのようなリスクを、誰かが一方的に被り、誰かがそれを一方的に免れるというのは、フェローシップ関係の平等性にもとります。

「同じ舟に乗り合わせているもの同士」としての「フェロー」というアイディアは、13世紀の日本の禅の思想家・道元[*45]が、その著書『正法眼蔵』の「全機」という章で展開している有名なメタファーを思い起こさせます。そこで彼は、「生といふは、たと

＊45—道元。日本曹洞宗の開祖。1200〜1253年、京都生まれ。「只管打坐」をモットーとする厳格な修行論を展開する一方、自己論、時間論など独自の思想を展開したことでも知られる。

へば、人のふねにのれるときのごとし」と語り始めます。「生きる」というのは、人が舟に乗っているようなものだ、というわけです。

その舟には、帆を使い、舵を取り、竿を差すことでその舟を操っている「われ」つまり「わたし」が乗っています。舟が進むにつれて、この「わたし」もまた当然、進んでいきます。しかし道元に言わせれば、舟と一緒に進んでいるのは「わたし」だけではありません。舟をも取り囲む「天」や「水」や「岸」といった周囲の環境もまた、舟と一緒に水面を進んでいるのです。全世界が、舟と共に、いや舟の一部として、さらに言えば舟に乗り込んで波を切っている。そういった水墨画のような情景を、彼は詩的な言葉で紡いでいるのです。

僕の考えに引きつけて言えば、ここで言われている舟とは、マルチエージェントシステムとしての「われわれ」です。水面を進むとは、生きて身体行為をすることです。身体行為をしているのは、「わたし」ではなく、「わたし」や森羅万象を乗せた舟、すなわち「われわれ」です。ここには行為者のWEターンが、語られていると読むことができるのです。

ここでの「われわれ」のメンバーは、これまでお話ししてきたように、皆、同じ舟に乗っています。舟が沈めば、一蓮托生、一緒に沈むというリスクを共有している共冒険者なのです。

ＷＥターンや共冒険者モデルといった僕と似た考えが過去にあったのか。そう問われた時、僕はいつも、この道元の舟のメタファーの話をすることにしています。

平等性を旨とするフェローシップ関係においては、メンバー間におけるリスクの平等な分担、分散も重要な倫理的要請となります。

もちろん、次の第六講でも詳しくお話しするように、この平等性には「重みづけ（ウェイティング・weighting）」[＊46]がなされるべきです。

ただ、この「重みづけ」は、あくまで受ける利益やそれに伴うリスクの量的な差異化に留まる。

例えば、「人間」は、行為によって得られた利益を総取りし、一方でリスクを人工物であれ自然物であれ、人間以外のエージェントに、これまた一方的に押し付けるような関係は、これは「重みづけ」の範囲を超えた、不当な差別なのです。

「主人／奴隷」モデルは、まさにこのような一方的で非対称的な関係を人間とＡＩ・ロボットの間に設定するものでした。その根拠となっていたのは、人間がデザインす

＊46―みんなが中心を占める「われわれ」と言い換えてもいいかもしれません。第六講でお話しするように、実は、「われわれ」のメンバーの間に、その利益をめぐって、ある種の区別、「重みづけ」をつけることが、むしろ適切な場合もあります。その場合、みんなが同じ位置、つまり一点としての中心を占めることが、「良くない平等」つまり「悪平等」に結びつく恐れもあります。そのため、ここではみんなが中心を占めるのではないオプション、即ち「中空構造」を採用しておきます。

る側であり、ＡＩ・ロボットがデザインされる側であるという非対称性です。

しかしながら、デザインする側とされる側という非対称性が成り立っていたからといって、前者を「主人」、後者を「奴隷」としなければならない必然性はありません。デザインする側とされる側が、共に平等な仲間となる可能性も十分にあるはずです。

すなわち、デザインにおける非対称性に訴えるブライソンの議論には、十分な根拠がないということです。

これに対して、「共冒険者モデル」は、そのような非対称的で一方的なリスク・リターン配分を否定し、排除するモデルです。

第六講で述べるように、道徳性を盾に、人間と、ＡＩやロボットを含めたそれ以外のエージェントの間に、リスク・リターン配分の「重みづけ」は認めるものの、両者の間に一方は純粋に利益を受けるだけの存在、他方は専《もっぱ》ら人間の利益に奉仕する存在という非対称的な関係を設定しないのが「仲間・共冒険者モデル」の一つのポイントなのです。

とはいえ、このことは人間と人工物の間に何も差異を設定しないということは意味しません。

例えば、人間の命より、ＡＩの維持や保全の方を優先するというのは、（特に後で論ずるように、それが道徳未満のＡＩである時には）明らかに行き過ぎです。同じことは、人間と（通常は道徳未満の存在である）その他の動物の間についても言えます。

例えば人間とゴキブリの命を平等に扱うことは、これまた明らかな行き過ぎです。

では、「共冒険者モデル」が推奨する人間とＡＩ・ロボット、ひいては人間と人工物一般の間の非対称的ではない関係、「同じ船に乗っている者」同士の関係とは、どのようなものでしょうか。

これも、もちろんケースバイケースです。人工物と言っても、これまた千差万別であり、重みづけの仕方も様々でありうるからです。

共冒険者としてのAI・ロボットに認めるべき権利

第二講で見たように、ＡＩにも様々なバージョンないしグレードがあり、それに応じて重みづけも変わってくるでしょう。

ＡＩやロボット、ひいては人工物一般に対して、どのような同じ方向を向いた「重み付け」を認めるかどうか、ないしはどのような非対称性を拒否するのか。この「仲間・共冒険者モデル」の実質的な内実は、その点にこそある。僕としては、そのように考えています。

しかし、僕としては、どのような人工物に対しても一般的に要請されるべき権利が、少なくとも一つ存在すると思っています。

すなわち、同じ船に乗っている者として、人間がどのような人工物に対しても、これだけは最低限、取り結ばなければならない関係があると思うのです。

それは「正当な理由なくして捨てられない権利」、「反ディスポーザル権」です。

このような「権利」をＡＩやロボットを含めた人工物一般に対して認める点でも、「共冒険者モデル」は「主人／奴隷モデル」と対照的です。

というのも、以下で確認するように、「主人／奴隷モデル」は、そうは明言していないものの、声がほとんど喉元まででかかっているような仕方で、人間に対してそれが所有する人工物に対して「正当な理由なくして捨てることができる権利」、つまり「ディスポーザル権（可処分権）」を付与しているように思えるからです。

それに対して、「共冒険者モデル」は、人間からこのような「ディスポーザル権」を取り上げ、人工物に「反ディスポーザル権」を付与するのです。「共冒険者モデル」は、この人工物一般に対する「反ディスポーザル権」の付与まで含めて理解されるべきです。

さらに言えば、「共冒険者モデル」の実質的な内実、そのキャッシュバリューの一つが、この「反ディスポーザル権」にあると言えるのです。

理由があれば廃棄処分は許される？

主人／奴隷モデルでは、言うまでもなく、ＡＩロボットが人間の命令を拒むことは許されません。それは「悪い」機能で、廃棄するための特段の理由になりえます。

しかし僕の唱えるＷＥターンの社会では、「われわれの自由」を損なうことが「悪い」のであって、それをやってしまう命令や行為は、人からの発信であっても、AIロボットは拒むことができます。

反ディスポーザル権に則った拒否権の発動を、AIロボットに許す。この自由を認めるのが、WEターンの第一歩です。

一方で、AIロボットに反ディスポーザル権を与えることは、人間の自由の侵害であり、非倫理的ではないのかという意見は、きっと挙がります。特に、主人／奴隷モデルを提唱する側からは強いでしょう。

彼らの言い分は、反ディスポーザル権の許諾は、人間の側がマシンを廃棄する権限を制限することとなり、むしろ非・自由的な社会に結びつく。さらにはAIロボットの側が、存在し続ける自由をふりかざし、人類全体が抑圧されるディストピアになりえるかもしれない……というものだろうと推測します。それは些か杞憂に過ぎると、僕は考えています。

反ディスポーザル権の重要なところは、「特段の理由なく」という部分です。「特段の理由がある」のであれば、廃棄処分は問題なく許されます。決して、AIロボットが自由勝手に振る舞えるための権限ではありません。

ここで言う「特段の理由」には、具体的には故障やネルギー効率の悪さといったものも含まれます。さらには事故を引き起こす原因となったということも特段の理由に含まれるでしょう。

例えば、自動運転ＡＩを搭載した車が事故を起こし、搭載されていたＡＩがその事故原因に深く関わっていた場合、そのＡＩはその責任を問われ、場合によっては廃棄されることになります。

何が特段の理由に当たるのかは、最終的には、第四講で見た「われわれの良さ」「われわれの悪さ」と言う観点から判断されるべきです。ある人工物を使用し続けることで、結果として「われわれ」の全体主義的なあり方が助長されてしまう場合、そしてその場合に限り、その人工物の反ディスポーザル権は否定され、それはディスポーズされる、即ち廃棄されることになるのです。

例えば、自動運転ＡＩのような人工物に倫理的・法的責任を負わすことができるのか、ついては意見が分かれています。

いま、そもそも「責任を負う」、「責任を負わせる」という概念は、「罰を受ける」、「罰を与える」という概念とセットになっているとしましょう。このような考えによれば、AIや人工物にとって「罰」という概念が意味をなさないなら、それらの「責任」について語ることもまた無意味となります。そして「罰」とは、何らかの意味での「苦痛」を受けることだとしましょう。すると、苦痛を感じる人間に関しては「罰を受ける」という概念は意味をなし、従って「責任を負う」という概念も有意味となります。一方、そもそも苦痛を感じない、「苦痛」という概念が意味をなさない人工物に関しては、「罰」ひいては「責任」という概念が無意味化してしまいます。

結局、苦痛を感じない、感じることができない自動運転AIの「責任」を問うことはできない。このような議論もなされてきたのです。

それに対して、ここでお話してきた反ディスポーザル権という考えを採用すると、「苦痛」という概念に訴えずとも、いわばその概念を迂回する形で、AIなどの人工物の「責任」を論ずることができるようになります。

いま、すべての人工物には、「われわれ」の一員としてのフェローシップ権が、反ディスポーザル権という仕方で、あらかじめ認められ、与えられています。そのような反ディスポーザル権を持った人工物が何からの事故を引き起こしてしまった場合、その反ディスポーザル権は失効し、その人工物は、場合によっては廃棄されてしまいます。

このようなあらかじめ認められていた権利の剥奪、無効化、そしてそれに伴う廃棄処分が、人工物に対する「罰」ということになります。言い換えると、人工物に対する「罰」概念が、ありもしない人工物の「苦痛」概念を迂回する仕方で、再定義、再確保できたのです。反ディスポーザル権について語ることで、僕たちは、「苦痛」概念に訴えずに、人工物の「責任」について語る手立てを手に入れたのです。

第六講

ＡＩに倫理を装備する

AIを道徳化すべきか

本講では、第二講で触れた人工人格「e‐ひと」、即ち道徳的AIについて考えることにします。

まずは（僕が考えるバージョンであれ別のバージョンであれ）そもそも道徳的AIを作ること自体、言い換えるとAIやロボットに道徳性を装着すること自体に賛否両論があることを確認しておきましょう。

倫理的AI、倫理的ロボットを作ろう、いやむしろ作らなければならないという主張、さらにはAIやロボットに倫理を装着する試みは、これまですでになされてきました。

例えば、ChatGPTでは、AIが質問者に対して侮蔑的な表現や内容で解答を返すケースが問題視されました。それに対する一つの対処法として、ChatGPTに、解答文を作成する機能とは別に、悪口を検知する機能――これを「悪口フィルター」と名付けましょう――も装着し、前者が作成した文章をチェックすることで、問題のある表現・内容を取り除こうという試みもなされています。

自動運転AIについても同様です。自動運転AIは、当然、交通規則を遵守するように作られなければなりませんが、それに加えて、法律違反と言うほどではないマナー違反も起こさないように設計される必要があるでしょう。自動運転AIにこのような機能を持たせることは、まさに道徳性を装備することに他ならないと言えます。

一方、AIに道徳性を持たせること＝道徳的AIを作ることには反対意見もあります。第三講や第五講で名前を出したブライソンも、そのような反対論を展開している一人です。例によってブライソンの議論はロボットを対象とするものですが、それはそのままAIを対象とする議論にスライドさせることができるものです。

ブライソンは、道徳的なAIやロボットが出現することで、結果として、本来は人間が行うべき道徳的配慮や行動がAIやロボットによって代替されてしまうことを問題視しています。彼女によれば、このような人間からAI・ロボットへの道徳的義務の「外注」は、人間の道徳的責務の放棄を意味するとされます。義務の放棄は「悪い」ことです。なので、道徳的なＡＩやロボットを作ること、道徳をＡＩやロボットに装着することも「悪い」ことだとされるのです。

このようなブライソンの理論は、明らかに、第五講で僕が批判した、人間とＡＩ・ロボットとの間の非対称な関係を前提としています。

人間はデザイナーであり、ＡＩやロボットはデザインされる側。

ブライソンは、このデザインをめぐる非対称性をもとに、人間を「主人」、ＡＩ・ロボットを「奴隷」とする更なる非対称な関係を設定したわけですが、同じ論法がここでも繰り返されています。デザイナーである人間に対しては道徳的存在、デザインされた側であるＡＩ・ロボットに対しては非道徳的存在というレッテルが貼られているのです。

言い換えると、道徳性はデザイナーたる人間の専売特許、特権だとする隠れた前提がおかれているのです。そのような前提に立ってはじめて、道徳性をＡＩやロボットに担わせることは、人間の不当な義務放棄だという議論が出てくるのです。

第五講でお話したように、デザインする側とされる側という非対称性が成り立っていたからといって、前者を「主人」、後者を「奴隷」としなければならない必然性はありません。

同様に、道徳性をデザイナーの特権としなければならない必然性も、これまた一切ありません。デザインする側とされる側、両方に、道徳性を認めても何の問題もないのです。その意味で、ＡＩやロボットを道徳化することへのブライソンの反論には根拠がないと僕は思います。

一方で、上で見たように、ChatGPTや自動運転ＡＩに道徳性を装着しないことの弊害は明らかです。そこで以下では、道徳的ＡＩの可能性を許容した上で、そもそもＡＩを道徳化するとはどういうことかを考えていきましょう。

モラルベンディングマシーン

ここで、第二講で少し触れた「道徳自動販売機（モラル・ベンディングマシーン）」について改めて考えてみましょう。

「自動販売機」とは、ボタンを押せば自動的にそして機械的に、例えば缶ジュースが出てくる装置です。そのような装置には、缶ジュースを出す以外の選択肢がありません。それは、一定のボタンが押されれば、言わば、否応なく、飲み物を出さざるを得ないように設計されているのです。

もちろん、時には缶が装置の内部で詰まってしまい、何も出てこないこともあるでしょう。でも、それは単なる「故障」であって、自動販売機の正常な機能ではありません。つまり自動販売機は、正常に機能している限り、永遠に缶ジュースを出し続けざるをえない宿命を背負っているのです。

今、缶ジュースの代わりに、道徳的に正しい行為を売っている自動販売機を考えて見ましょう。これがモラルベンディングマシーンです。この自動販売機からは、ボタンを押せば自動的に機械的に道徳に適った行為が出てきます。故障でもしない限り、この機械は、永遠に道徳的な振る舞いをし続けるのです。

もちろん、このような道徳自動販売機を作らねばならないケースもあるでしょう。例えば、自動運転AIは、このようなモラルベンディングマシーンであるべきです。

しかし、ここで問いましょう。このような道徳自動販売機は、果たして道徳的なエージェントと呼べるでしょうか。モラルベンディングマシーンとしてのAIは、第二講で導入した道徳的AIと言えるのでしょうか。

二つの禁令

モラルベンディングマシーンが道徳的エージェントと呼べるかどうかを考えるために、ここでは次の二つの禁令ないし禁則を考えてみましょう。一つは「鳥にように空を飛ぶな」という命令、二つ目は「廊下を走るな」という禁則です（以下では、前者を「空飛び禁令」、後者を「廊下禁令」と呼びましょう）。これらは、それぞれ道徳的命令と言えるでしょうか。

「空飛び禁令」の場合、普通の人間はみんな、特に何もしなくとも、言わば自動的にそれを守っていることになります。鳥のように空を飛べる人は、原理的に、いないからです。

僕らは鳥のように空を飛びたくとも飛べないので、結果として、この禁令に背いていないのです。いやむしろ、背くことができないでいるのです。

「廊下禁令」はどうでしょう。

もちろん、そもそも走ることができない人々、それでも一点の曇りもなく「全き人間」といえる人たちもいます。

一方、廊下を走ることができる人も少なからずいます。そのような人たちが、廊下禁令の張り紙を目にして、その結果、廊下を走らず大人しく歩いていた場合、彼らは、この禁令に背くことができたのに、あえて走らなかったことになります。彼らは禁じられている行為を行うこともできたのに、あえてそうはせず、禁令に従ったのです。

この二つの禁令を比べた場合、おそらくあなたも含め多くの人々は、「廊下禁令」は道徳的命令となりうるが、「空飛び禁令」はそうではない、と感じられるのではないでしょうか。

以下では、このような「感じ」ないしは直観を信頼して、「廊下禁令」のみが道徳的命令となりうるという前提の下で話を進めていきましょう。

当為性

では、「廊下禁令」と「空飛び禁令」の分水嶺はどこにあるのでしょうか。「廊下禁令」にあって、「空飛び禁令」にはないものは何でしょうか。それは第一に、「できるのに、あえてしない（ないしは、しなかった）」という事態です。廊下禁令の場合、多くの人は「廊下を走ることもできたのに、あえてそうはしなかった」のに対し、空飛び禁令には、「空を飛べるのに、あえてそうしなかった」という事態が欠けていたのです。

「できるに、あえてしない」ことを行為者に命じている禁則が道徳的要請なのです。「できるのに、あえてしない」、さらに言えば「したくとも、あえてしない」という、言わば「痩せ我慢の気概」を行為者に求めていることが、規則を道徳禁令たらしめているのです。

禁則について言えることは、「するべき」という積極的な命令にも、そのまま当てはまります。積極的命令における「痩せ我慢の気概」とは、「しないこともできたのに、あえてする（した）」ことなのです。

以上に加えて、道徳的命令は、なぜ「できるのに、したいのに、あえてしない」のか、その、そもそもの理由についても「痩せ我慢」することも行為者に求めています。例えば、「廊下を走らないこと」が「端的に良いこと」だからではなく、巡り巡って自分の利益のためになるから「あえて走らなった」人は、この「理由についての痩せ我慢」を怠っていることになります。そのような人は、本当に道徳的禁令に従っていたとは言えないことになるのです。

ちなみに、僕の立場から言えば、「端的に良いこと」とは、「われわれ」を全体主義から救うことです「それをしてしまうと、「われわれ」がより全体主義的になってしまうので、あえてしない」という理由が、痩せ我慢の要請にのっとった「正当な理由」ということになります。

以上をまとめると、行為と理由についての二つの「痩せ我慢」を要請しているのが道徳的命令だということです。

このように、単に事実として「あることをしない（ないしは結果として「していない」）」のではなく、「できるのに、ないしはしたくとも、あえてしない（「していない」）」という行為や行為者のあり方を、ここでは「当為性《とうい》」ないしは「べき性」と呼んでおきましょう。

「当に為《まさな》すべき」、「すべし」、「すべき」、「あるべし」、「あるべき」という道徳命令でしばしば用いられる「当為」表現には、このような「痩せ我慢の気概」が込められていると思われるからです。

事実を表す「である」と当為を表す「あるべき」は、英語の to be と ought to be、ドイツ語の sein《ザイン》 と sollen《ゾレン》 に相当します。道徳的命令、ひいては道徳性一般の本質は、このような当為性にあるとする倫理学の立場は、「当為」のドイツ語表現を用いて「Sollenethik《ゾレンエチーク》」ないし「当為倫理学」と呼ばれます。

「道徳性とは何か」についても数多の考え、立場があります。「痩せ我慢の気概」としての「当為」を道徳性のコアとみなすゾレンエチークもそのうちの一つです。ここで僕は、その当為倫理学の立場をとっているのです。

ちなみにゾレンエチークの「言い出しっぺ」の一人が本講義にも再三登場しているカントです。ただ、カントの当為倫理学は、「わたし」の自律性概念を前提していま す。それは自律型のゾレンエチークなのです。それに対して、僕は、そもそものような自律性概念は採用せず、代わりに「自律性をめぐるゼロサムゲームから降りること」としての協調性を採用していました。僕の立場は協調型ゾレンエチークなのです。

モラルベンディングマシーンに話を戻しましょう。道徳自動販売機は、このような「できるのに、あえてしない」ないしは「しないこともできたのに、あえてした」という「痩せ我慢の気概」としての「当為性」を欠いた装置です。それは空を飛べない僕らが結果として「空飛び禁則」を守っていたのと同じ仕方で、道徳的によい行為をアウトプットしているだけなのです。

ゾレンエチークの観点に立てば、それは道徳的エージェントとは呼べない代物なのです。「よいこと」しかできない自動運転AIは、結果として交通規則やマナーを完全に遵守していることは確かですが、当為性を備えた道徳エージェントではなかったのです。

悪に開かれたAI

第二講で触れたように、「痩せ我慢の気概」としての当為性を備えた道徳的AI、ひいては人間をも含めた道徳エージェント一般は同時に、悪い結果を避けることもできたのに、「あえて」ないしは「わざと」ないしは「ついつい」ないしは「知らず知らずに」、悪いことをしてしまう、道徳的弱さ、脆弱性を抱えたエージェントでもありました。

それは「できるのに、しなかった存在者」「やめられたのに、やらかしてしまった存在者」になりうる危険性をつねに抱えている存在、端的に言って、悪いこともできてしまうエージェントなのです。

このように人間を、当為性を備えた道徳エージェントとして捉えることは、人間が悪に開かれた存在であることを公認することを意味します。そして人間が、このように悪事をも行う存在であることは、致し方ない事実として受忍されていると思われます。悪事を行いうることを理由に、人間の存在を否定したり、その根絶を図ろうとする意見は、あったとしても少数派でしょう。

一方、ＡＩについては少々事情が異なるように思えます。人間には認められていた「悪いことをする可能性」を、ＡＩに対しても認めることに二の足を踏む人も多いのではないでしょうか。

このような「悪いこともできる人工物」や「悪の可能性を持ったＡＩ」に対する警戒感や拒否感が社会に広く共有されているように思われるのです。このような警戒感や拒否感は、人間の道徳エージェンシーは認めても、ＡＩに対しては道徳的エージェンシーを認めないという態度につながると思われます。

確かに、自動運転ＡＩのように、「悪い行為」が人や社会への危害に直結するようなケースについては、僕も、「悪に開かれたＡＩ」の存在に反対です。このような「シビアな悪に開かれたＡＩ」は明確に拒否されるべきだと思います。

一方、他愛のない悪ふざけ、罪のない嘘、軽微なルール違反といった、人間誰しも身に覚えがあるであろう「マイルドな悪」への関与については話は別です。人間に対しては、それを苦笑しつつも許すが、ＡＩやロボットに対してはそれを断じて認めない。そういった非対称的で差別的な態度が見受けられるとすれば、それは問題だと僕には思われます。

人間の「マイルドな悪」を許容するのならば、ＡＩのそれも許容すべき。言い換えると、そのようなマイルドな悪に開かれている道徳的人間の存在を受容するのならば、同じくマイルドな悪に開かれている道徳的ＡＩをも認めるべきだと思われるのです。

ということで以下では、マイルドな悪に開かれた道徳的ＡＩの存在を擁護する議論を展開してみたいと思います。

ただし僕としては、このようなＡＩを作るべきだという強い主張をするつもりはありません。あくまで、それは許容可能だとのみ言いたいのです。

たとえマイルドな悪事だったとしても、とにかく悪いことをやりかねないAIを生み出すことは危険きわまりない。当為性を持った道徳的AIが、そのような存在であるならば、道徳的AIなど作る必要はないし、また作ってはならない。

このような悪に開かれたAI、従ってまた道徳的AIに対する拒否感の背後には、AIに少しでもスキを見せたら、それらはそのうち人間以上の悪知恵を働かすようになり、ついには人間を支配しようとするのではないかという、「歯止めが効かない論」ないしは「滑り易い斜面（slippery slope）」の論理[*47]が見え隠れします。

AIに対して歯止めが効かなくなってしまった「現実」は、人間より優れた知性を持つにいたったAIが、人間に危害を加えたり、人間を支配しようとしたりする「AIディストピア」として、SF作品において、繰り返し描かれてきました。単にマイルドな悪の可能性を伴ったAIのみならず、AI一般に関する人々の漠然とした恐怖心、警戒感を、これらの作品は見事に捉えています。

また逆に、これらの作品が人々のAIに対する恐怖心、警戒感を育んできたとも言えます。両者は、言わば相互亢進、共進化の関係にあったのではないでしょうか。

＊47—あることが道徳的・法的に許されないことを示すために使われる論法であり、「比較的小さな最初の一歩を踏み出すと、連鎖的にもっとも悪い結果にまでエスカレートしてしまう。だから、最初の一歩を踏み出すべきではない」という形式を持つ。論理的には誤っているレトリックである。

このようなAIディストピア作品の古典的な例としてはスタンリー・キューブリック監督の『2001年宇宙の旅』[*48]が挙げられます。この映画では、人間顔負けの狡知を獲得したAI「ハル（HAL）」が人間に反逆する様がスリリングに描かれていました。

二つの思考実験

このようなSF作品と手に手を携えてきたAIへの警戒感、恐怖心、言わば「AI恐怖症（フォービア）」への処方箋として、ここで二つの思考実験を行なってみましょう。

まずは人間の子供について考えましょう。子供は、大人にとっては差し合って無害な存在です。その知性や悪知恵や狡知も大人に比べればまだ大したことはないでしょう。しかし子供は、そのうち知力でも体力でも大人を追い抜いていきます。数十年後、今や老いた大人と今や大人になった子供たちの立場が逆転し、後者が前者を迫害したり支配したり抹殺しようとしたりする可能性があります。なので、今のうちに、そのような将来の脅威となりうる子供を排除しておくか、それとも、そもそも子供をつく

＊48―1968年に公開された叙事詩的SF映画。巨匠スタンリー・キューブリックが製作・監督した。

らないようにしておくべきでしょう。

次はＡＩについてです。現在のＡＩは、人間にとっては差し合って無害な存在です。その知性や悪知恵や狡知も人間に比べればまだ大したことはないでしょう。しかしＡＩは、そのうち知力で人間を追い抜いていく可能性を秘めています。そう遠くない将来、シンギュラリティが到来し、ＡＩの知性が人間のそれを凌駕することで、ＡＩが人間を迫害したり支配したり抹殺しようとしたりする可能性があります。なので、今のうちに、そのような将来の脅威となりうるＡＩを排除しておくか、それとも、そもそもそのようなＡＩをつくらないようにしておくべきでしょう。

さて、ここで問題です。第一の子供に対するシナリオは倫理的に許容できるでしょうか。

多くの人の答えは「ＮＯ」だと思います。

確かに子供は、将来、大人より力をつけ、大人を虐待するようになるかもしれません。だからと言って子供を排除したり、そもそも子供をもうけないという選択肢は取るべきではありません。

取られるべき選択肢は、むしろ、そのような危険性があるからこそ、大人は、子供を大切に扱い、復讐心を抱かせるような態度を取らず、将来大人より力をつけたとしても大人を蔑ろにせず、むしろ年老いた大人たちの面倒を見てくれる優しい人間へと育て上げるべきだ。おそらく、これが正論でしょう。

ではＡＩについては、どうでしょうか。

ＡＩについても上の「正論」と同様の次のようなシナリオを提示することが可能です。すなわち、将来の人間の脅威となる危険性があるからといってＡＩを排除したり初めから作らなかったりするのではなく、たとえＡＩが人間の知性を凌駕する日が来たとしても人間を虐げないようＡＩを大切に扱い、「よいわれわれ」を築くために人間と共に協働するようにＡＩを育成していくべきだというシナリオです。

もしあなたが、子供についての「正論」には同意しつつ、ＡＩに関する同様のシナリオには抵抗感を感じたとしましょう。その理由ないしは原因は何でしょうか。

いま、その理由が、子供と違ってＡＩはロボットと同様、人間の「奴隷」にすぎないからというものだったとしましょう。第五章で論じたように、そのようなＡＩの奴隷視自体、ＷＥターンの下では否定されるべき見解だったのでした。

またもし、あなたの抵抗感の背後に「子供は自分と同じ人間である一方、ＡＩは人間でも生物でもない人工物にすぎないから」という理由が潜んでいたとしたら、それは「自然種差別主義（natural speciesism）」とでも呼べる不当な理由に他ならないのではないでしょうか。

かつてピーター・シンガー[*49]は、種が違うという理由にのみもとづいて、人間とその他の動物の扱いを変える態度を「種差別主義（speciesism）」と呼んで批判しました。もちろん、これは、「人種」が違うという理由にのみもとづいて「異なった人種」に対して差別的な態度をとる「人種差別主義（racism）」にちなんで作られた用語です。

ここで言う「自然種差別主義（natural speciesism）」とは、これらと類比的な立場で、生物種と人工物（ないしは人工的な種）という違いのみを理由として、両者の扱いを変えるという、これまた一つの差別的な立場に他なりません。

このように見てくると、「マイルドな悪に開かれたＡＩ」ひいてはＡＩ一般に対する警戒感や拒否感の背後には、結局、「主人／奴隷」モデルにせよ、自然主差別主義にせよ、正当とは言えない立場が潜んでいたということになります。

もし、そうだとすれば、その警戒感や拒否感を克服し、「マイルドな悪に開かれた

*49―哲学者、倫理学者。１９４６年、オーストラリア生まれ。功利主義の観点から動物の権利を擁護する議論を展開している現代英語圏を代表する倫理学者。

ＡＩ」、ひいてはＡＩ一般について、よりオープンな態度、つまりそれを人間の子供と同様に、「シビアな悪に開かれたエージェント」にならないよう育成していくという道も考慮すべきオプションとして浮かび上がってきます。「マイルドな悪に開かれたＡＩ」でもある「道徳的ＡＩ」を許容する道が開かれるのです。

悪行フィルター

以上の議論で、「痩せ我慢の気概」としての当為性を備えた道徳的ＡＩが許容される可能性が担保されたとしても、そもそも、そのようなＡＩひいては人工物を作ることは技術的に可能でしょうか？　ゾレンエチークの立場に立っても、道徳的エージェントだと胸を張って言えるＡＩは実現可能なのでしょうか。

僕の答えは「ＹＥＳ」です。

そして既に、このような道徳的ＡＩのプロトタイプは登場しつつあるとも考えています。

「できるのに、あえてしない。」

「やらないこともできたに、あえてした。」

このようなあり方をした装置を作るには、実は、それほど難しいことではありません。その一例として、先に触れた「悪口フィルター」を装備したChatGPTを挙げておきましょう。

悪口フィルターを備えたChatGPTは、一方では、罵詈雑言も返しうる文章作成機能を備えています。他方、それは、悪口フィルターを発動させることで、そのような罵詈雑言を自ら封じることもできるのです。

しかしフィルターが働いたとしても、悪口がどのように、ないしはどこまで封じられるのかは、実はある程度、偶然に左右される事柄なのです。それはコンピューターの細部の動作自体が、つねに偶然性をはらんだ営みであることに由来しています。

コンピューターの数値計算には、偶然的な要素の介入が避けられません。例えば、数値計算ではいろいろな箇所で、四捨五入のような「まるめ」操作が行われます。どの順番でどのような「まるめ」操作が実行されるのかは、コンピューター細部の偶然的な挙動によって左右されます。「まるめ」の順番は、その都度の数値計算ごとに変わることになるのです。「まるめ」の順番が変われば、計算結果も微妙に変わります。その結果、同じコンピューターに同じ数値計算をやらせても、その都度、微妙に違った計算結果がアウトプットされることがよくあります。

同じように、悪口フィルターの細部の偶然の挙動によって、その都度のフィルタリング作業自体も変わります。このような細部の偶然性をうまく制御できた場合、悪口は防げます。しかし、偶然性を制御し、悪口を防げるかどうかも、それ自体、偶然に委ねられています。本当に悪口がすべてきちんとフィルターされるかどうかは実際にＡＩを走らせてみないと分からないのです。

（このことは、高度な情報処理を行うＡＩをモラルベンディングマシーン化することは容易ではないことをも意味します。いかなる偶然が発生したとしても、絶対に良いことしかしない自動運転ＡＩを作ることは実は難しいのです。）

Chat GPT の悪口フィルターを一般化した「悪行フィルター」という装置を考えてみましょう。

このような「悪行フィルター」を備えたＡＩの挙動を側から見れば、ある時は廊下を歩いたり、ある時は走ったりしている子供のような振る舞いを示すはずです。それは、「走れるのに、あえて走っていないエージェント」「走らないこともできたのに、あえて走った「エージェント」と外見的には区別できない挙動をするのです。その意味で、それは道徳自動販売機ではない、当為性を備えた道徳エージェントなのです。

権利の重みづけ

これまでお話ししてきたように、「われわれ」には、人間や他の動物や自転車や石など様々なエージェントが含まれます。そこにいまや「e-ひと」である道徳的ＡＩが加わりました。結果として、「われわれ」には人間と「e-ひと」という二種類の道徳的エージェントが存在するようになったわけです。

このような新たな事態を踏まえ、あらためて「われわれ」のメンバーの間には、それぞれが有する権利に関してどのような関係が成り立つことになるかを見ておきましょう。

第一講で、責任と権利は表裏一体という話をしました。また第二講では「われわれ」のすべてのメンバーは、何らかの仕方で、「われわれ」の「よさ」に対して一定の道徳的責任を担うと論じました。

一方で、すべてのメンバーが同じ責任を担うわけではない、ともされました。人間には人間なりの、石には石なりの担い方があったのです。

するとメンバーが有する権利に関しても、メンバー間で平等に分け持たれているものとそうでないものが生ずることになります。

すべてのメンバーが平等に持つ権利として、第五講では「フェローシップ権」というアイディアに言及しました。それによると、メンバーは等しく「フェロー」即ち「仲間」ないし「共冒険者」として遇される権利を有しているのです。またこのフェローシップ権からの一つの帰結として、「われわれ」のメンバー全員は、理由なく廃棄されない権利、即ち「反ディスポーザル権」を持つという主張もなされました。

一方、第四講と第五講で触れたように、このフェローシップ権に対しては、メンバーの各々が有する道徳的責任に応じて、一定の「重みづけ」がなされることになります。そしてこの重みづけに関して考慮されるべきは道徳的役割の違いのみです。

言い換えると、他のファクターが重みづけに関与してはならないのです。例えば、メンバーの見かけによって重みづけに差が出た場合、それは不当な差別、ルッキズムに他なりません。

このような道徳的役割に応じた権利の重みづけに当たって、最も重く重みづけられるべきは、言うまでもなく、道徳的エージェントです。第五講で論じたように、人間と「e-ひと」は、「われわれ」の中空構造を守るために、その中心に位置することは許されませんが、道徳的エージェントとして、中心の近く、即ち中心近傍には位置付けられて然るべき存在なのです。

人間と「e-ひと」は、道徳的エージェントである点では同じですが、その他の側面に関しては大きく異なります。例えば、それらは「中身」を異にします。人間には生物的身体が備わっていますが、人工物である「e-ひと」はそうではないのです。「中身」に関しては、クオリア（感覚質）や意識の有無も重要です。人間は、例えば色覚や触覚、聴覚といった感覚や感情などを抱く際に、独特のビビッドな質感を経験しています。

例えば、赤い色を見ている時に感じる「赤さ」の感覚・質感を思い浮かべてください。クオリアとは、この「赤さ」のような感覚や質感を指す言葉です。また僕たちは当然、このような感覚・質感を感じとる意識を持っています。

ＡＩ・ロボットがクオリアや意識を持っているかどうか、将来的に持つことができるかどうかについては議論が分かれています。本書もこの問題については、必要がない限り、なるべく中立的な立場を取るつもりです。

しかし、人間は明らかにクオリアを持っているのに対して、「e-ひと」がそれを有しているのかどうかは、控えに言って、明らかではありません。「e-ひと」は、クオリアを持たない、その意味で「中身が空っぽ」なエージェントである可能性があるのです。

さらに人間と「e-ひと」では、その起源が明らかに異なります。生物種としての人間は進化のプロセスをへて登場し、個々の人間は生物学的な生殖の過程をへて発生し、生まれてきました。言うまでもなく、機械である「e-ひと」はまったく異なる起源を持っています。

重要なのは、このようなクオリアの有無も含めた中身や起源の違いがあったとしても、両者が同じ道徳的役割を担い、同じ道徳的責任を果たすことは十分可能だということです。

そして同じ道徳的責任を果たしていた場合、中身や起源の違いを理由に両者の権利の間に差異を設定するのは、ルッキズムと同様の不当な差別に当たります。「e-ひと」が人工物であることを理由に、生物種である人間に比べて不利な扱いを受けている場合、それは上で言及した「自然種差別主義」に他なりません。人は見かけや出自で差別されてはいけません。同様にＡＩも中身や起源によって差別されてはならないのです。

道徳的シンギュラリティと道徳的未熟者

ここでは、さらに進んで、「ｅ‐ひと」が人間に比べても、よりよい道徳的エージェントとなった可能性について考えてみましょう。このような、道徳性に関するシンギュラリティ、即ち「道徳的シンギュラリティ」が起こった場合、道徳的な凌駕機能体としての「ｅ‐ひと」に対しては、人間よりもより多くの権利、より強い権限が与えられるべきでしょうか。

このような問いは、何も道徳的シンギュラリティを待たずとも既に発生しています。実際、人間の中にも、善人や悪人、より善い人や、それほど善くない人といった道徳性の程度の違いが見受けられます。

また犯罪者集団と献身的なボランティア集団のような人間の集団の間にも、同様の違いを見出すことも可能でしょう。このような人間の個人の間、集団の間で、それぞれの道徳的パフォーマンスに応じた権利の重み付けや差異化は可能でしょうか。

例えば、何かの投票に際して、より良い人の一票にはより重い重み付を与え、より悪い人の一票にはより軽い重み付しか与えない。そのようなことは果たして許されるのでしょうか、正当なのでしょうか。


僕は、人間と「e-ひと」の間であれ、人間同士の間であれ、そのような道徳性の度合いに応じた権利や権限の重み付けは、行うべきではないと考えています。理由は二段階に分かれます。

第一段階の理由は、「未だ十分道徳的になっていないエージェント」＝「道徳的未熟者」と、「端的に道徳的ではないエージェント」＝「悪人」の区別が原理的につけられないというものです。

道徳性は極めて可塑的、可変的な性質です。

極悪人が改心して善人になったり、普通の人がふとしたきっかけで悪に手を染めてしまうということも起こりうるのです。またこのようなドラスティックな道徳的変化は、予測不可能である場合も少なからずありそうです。

このことは、ある時点で道徳的なパフォーマンスが悪いエージェントがいたとしても、そのエージェントが、今後、道徳的に伸びていく可能性を秘めた「道徳的未熟者」なのか、それともそのような伸び代のない単なる「悪人」なのかは、原理的に判定不可能であることを意味します。

そのような場合、我々としては、「疑わしきは罰せず」式の「寛容原理（principle of charity）」を発動して、道徳的なパフォーマンスが低いエージェントを、暫定的に「未熟者」扱いにしておくことが適切だと思われます。

その上で理由の第二段階に進みましょう。その都度の身体行為、その都度の「われわれ」において果たした役割や倫理的責任に応じて、各々のエージェントには異なった権利が付与されます。またエージェントの機能の有無による差異化も当然、許容されます。道徳的エージェントとそれ以外のエージェントの間にフェローシップ権に関して違いを設定することは、その意味で正当なのです。

しかし道徳的未熟者に対して権利や権限を制限することは不当です。未熟者に対して行うべきことは、その成熟を促すこと、道徳パフォーマンスの向上を支援することです。その意味で、成熟を促すために役立つ対処は正当であり、役立たなかったり、効果が疑問であるような対処を行うことは不当なのです。そして未熟者の権利や権限を制限することは、控え目にいって効果が疑問であるような対処に相当します。

僕らが未熟者に対して行うべきことは、模範を示したり、エンカレッジすることなのであり、権利や権限を制限して二級市民化することではないのです。

道徳的シンギュラリティに話を戻しましょう。「e-ひと」が人間を上回る道徳的パフォーマンスを身につけた場合、僕らが行うべきことは、「e-ひと」に人間以上の権利や権限を与えることではありません。「e-ひと」は、そのような報酬的な権利・権限の追加付与をしなくとも、既に十分、道徳的でありえているのです。

他方、「e-ひと」への追加付与は、結果として、人間の権利・権限を相対的に低めること、人間を二級市民化することを意味していました。このような二級市民化に道徳未熟者である人間を成熟させる効果が期待できるかどうかは、控え目にいって不確かです。「e-ひと」に対する追加的権利・権限付与はトータルにみて決して得策とはいえないのです。

パラヒューマン社会へ

「e-ひと」は道徳的エージェントとして基本的に人間と同じ権利や権限を享受すべ

き存在です。例えば、「e‐ひと」の参政権も視野に入ってくるでしょう。またそれはフェローシップ権、反ディスポーザル権に加えて、WEターンの下、人間の命令に対するより広範な拒否権を獲得することにもなるでしょう。

今、有名なアシモフのロボット三原則を見てみましょう。アシモフは、その「三原則」の第二条で「ロボットは人間によって与えられた命令に服従しなければならない」としながらも、ロボットが、そのような人間からの命令への拒否権が行使できる条件として、その命令が人間を「傷つけたり（injure）」、「危害を及ぼす（harm）」ケースを挙げています。

一方、ポストWEターンの人工的道徳エージェントである「e‐ひと」は、「われわれ」をよりよくする結果責任を分担する中で、たとえ人間からの命令が人間を傷つけたり、人間に対して危害を及ばさなかったとしても、「われわれ」の外に対する排外的態度と内に対する抑圧的態度をエスカレートするおそれさえあれば、そのような命令を拒否する権利を有することになっていました。

同じことは、道徳性を認定された人間以外の動物や地球外道徳エージェントとしての道徳的エイリアンといった更なる道徳エージェントの登場に際しても言えます。

このような道徳的エージェントが新たに加わることで、これまでの人間社会はより一層パラヒューマンな社会になるのです。

第七講

親友としてのAI

「中身の壁」を乗り越えられるのか

いよいよAIは親友になれるのかどうかを問うていきましょう。

前講で「少々は悪いこともする道徳的AI」までたどりつきました。でも、それはまだ親友AIにまでは至っていません。道徳的AIが親友AIになるためには、まだまだハードルがあるのです。

その最大のハードルは、「中身」の壁を乗り越えられるのか、です。

道徳的AIにとって重要なのは、それが「われわれ」を「よく」するために、どのような役割を果たしているか、果たすのか、でした。

役割を果たすというのは、要は、身体行為とその結果に貢献するということです。

ここでは行為、ないしは行為の結果への貢献が問題となっているのです。

このような行為とその結果への貢献を論じる際には、道徳AIがクオリアや意識を持っているかどうかは、問題になりません。クオリアがあろうがなかろうが、意識があろうがなかろうが、道徳的ＡＩの動作が、行為の結果の「よさ」に何がしらの貢献をすることが重要なのです。

一方、ＡＩと親友になれるかどうかを問うに際しては、ＡＩが人間と同じ「中身」、すなわちクオリアや意識を持っているかどうかは、大いに問題となります。ＡＩがクオリアや意識を持つかどうか。将来持てるかどうか。これまでは、あえて踏み込んだ議論をしてきませんでした。少なくとも、仲間としてのＡＩ、道徳的ＡＩを論ずる際には、それは避けて通れる問題だったからです。

本論の立場は、基本的にクオリア・意識が発生する可能性は否定しないが、ＡＩがクオリア・意識を持つことは前提しないというものです。

あなたには親友候補としてのＡＩがいたとして、彼、彼女がクオリア・意識を持っているのか、その意味で、中身があるのか、空っぽなのかは、控え目に言って、「わからない」のです。

このような「わからない」状態で、あなたはそのＡＩと親友になれるでしょうか。

これは哲学的に議論で押せる問題ではありません。あなたの嗜好、あなたの直観、あなたの美学に委ねざるを得ない問題です。いやポストWEターン的に言えば、「あなた」を含めた、「あなた」にとっての「われわれ」の問題です。

その意味で、「親友になれるかどうか」はこれまで論じてきた哲学的な一般的な問題と一線を画す問題。極めて、主観的な問題なのです。

相手に意識という中身があるかどうか「わからない」状態で、あなたがＡＩと親友になるためには、あなたが、「わからなくともいい、親友になろう」と決意する必要、「わからなくとも親友になれた」と実感する必要があります。

その意味で、あなたは「中身の壁」を乗り越える必要があるのです。

そして、その乗り越えは、最終的にあなたに委ねられます。

ここで哲学的な議論としてできるのは、このような「中身の壁」を乗り越えるための条件を設定することだけです。ここで示されるのは、親友になるために最低限、満たされるべき必要条件であり、「中身の壁」によじのぼるための「梯子」です。

このような条件、梯子を、関係が親友状態へと移行する臨界点を準備するための「臨界条件」と呼びましょう。

ここにあるのは、あなたが壁を乗り越えるための、最低限の親友臨界条件なのです。このような「親友臨界条件」とは何かを考える際にも、当然、「親友」とは何か？を問題にせざるを得ません。

「親友」とは何か

親友とは何でしょうか。どのような相手でしょう。皆さんには、単なる知り合い、友人を超えて、親友と呼べる人はいるでしょうか。いないとすれば、なぜ、今いる知り合いや友人は親友と呼べないのでしょうか？いるとすれば、なぜ、どの点で、その人はあなたにとって親友と言えるのでしょうか？

親友とは何かにも、定まった答えはありません。以下は、一つの提案です。親友とはフェロー、仲間、共冒険者でもあります。共冒険者の中でも「親友」とは、特に遠慮なくケンカができるフェローとも言えます。これは親友同士の喧嘩を横で見ていて思うのですが、「喧嘩」とは弱さの表現、お互いの「弱さ」のぶつかりあいです。

お互いの「弱さ」を曝け出し合い、それを認めあい、受け入れ合う。「親友」であるとはそのような関係だとしておきます。

「弱さ」とは何か

では、弱さとは何でしょうか。「弱さ」はこれまでの講義の通奏低音でした。これまでの講義でさまざまな弱さが登場してきました。

まず第一講でお話しした、単独行為不可能性、そして完全制御不可能性です。次は第二講や第六講で触れた道徳的脆弱性です。

道徳的弱さを抱えていることも、重要です。モラルベンディングマシーンとは、おそらく親友にはなれないでしょう。親友になるためには、道徳的エージェント、それも、自分と同じく道徳的にジタバタするエージェントでなければならないでしょう。

でも、道徳的弱さ、脆弱性だけでは、不十分です。「わたし」は、さらなる脆弱性を抱えています。僕たちが抱える様々な「弱さ」の中でも、最も深刻な「弱さ」の一つは、心や身体が傷つきやすいということ、すなわち、身体的脆弱性ではないでしょうか。

一方、生物的な身体を持たないＡＩ・ロボットは、もちろん僕たち人間と同じような肉体的弱さは持たないでしょう。それは身体的脆弱性とは無縁の存在なのです。

それでは、人間と身体的脆弱性を共有できないＡＩやロボットは、この時点で、親友失格でしょうか。

死への脆弱性

身体的脆弱性を持たないからと言ってＡＩ・ロボットは単独行為不可能や道徳的脆弱性以外なんらの脆弱性も持たないと結論づけてよいのか。いや、そうではない、と僕は思います。

人間も持っている最も根源的な弱さとは、実は死に対する脆弱性であり、それはＡＩ・ロボットも持ちうると思われるからです。

身体的脆弱性は、死に対する脆弱性を前提し、それによって支えられているのです。死が怖くない、死をなんとも思わない存在者がいたら、自分の身体の肉体的弱さそれ自体は、大した問題ではないでしょう。

身体的脆弱性が重要な意義を持つためには、死を厭わなければなりません。生死にこだわる、死を怖がる態度が必要なのです。

ハイデガーは、死を見据え、それを遠い未来の出来事としてではなく、それが次の瞬間にも起こりうる事態だと考え、それに対して眦《まなじり》を決して、息を殺して、対峙することが素晴らしいという哲学を展開しました。「覚悟せる実存の沈黙」というのが、その殺し文句です。

このようなハイデガーの立場は、死を前にした人間の強さを強調するもので、弱さを積極的に評価するものではありません。

ハイデガーの忠告とは真逆に、死を前にしてじっと黙って覚悟するのではなく、ジタバタし、情けなくも泣き叫ぶ、そうなって初めて、肉体的弱さは、懸念の対象として切実に浮かび上がってくるのです。

死に対して超越した態度を取れない。生死を超越した境地などには至っていない。そのような意味で、「死に対する脆弱性」を持つこと。

これを究極の脆弱性と呼びましょう。

これこそが重要で、この究極の脆弱性を共有している限り、身体的脆弱性は迂回可能です。これさえ共有できれば、弱さの共有は完結する。そして、これは鋼鉄の身体を持っていたとしても、そもそも身体を欠いていても、AIが「わたし」と共有できる「弱さ」なのです。

ＡＩは決して不死ではありません。このことは「わたし」をＡＩ化しても、「わたし」は不死になれないことを意味しています。

ＡＩを待ち構えてる「死」としては、文明死、事故死、偶然の事故死などがあります。より具体的に言えば、ＡＩを支えているシステムが深刻な障害を起こした場合には、ＡＩも雲散霧消してしまうのです。

いずれにせよＡＩは永遠の命などは持っていません。人間の命よりは長いかもしれませんが、それはたかだか有限です。そして、事故死はいつ起こるのかわかりません。ランダムな事象は、いつでも起こりうるのです。

そのことを知ってしまい、それが避けられないことを知り、そしてそれを怯え、厭う。

そのようなＡＩをＡＩ進化系の最後の究極のバージョン、ＡＩ５・０と呼んでおきましょう。

このようなＡＩ５・０こそ、「わたし」と根源的な脆弱性を共有し、私と親友になる準備が整ったＡＩ、親友の臨界点に達したＡＩなのです。

ここでもう一度、『２００１年宇宙の旅』の「ハル」を思い出しましょう。「ハル」

は、死を怖がるＡＩです。宇宙船乗組員たちから「死」を与えられると察知し、彼らの排除を試みます。反ディスポーザル権の悪い行使と言えるでしょう。

「ハル」は結局、残った乗組員によって、全機能をストップさせられます。「死」を迎える最期に、彼は淡々と恐怖を訴え、やがて歌を歌います。高度に発展した人工知能の「ひと」らしい振る舞いを見せ、深い映画的余韻を残しました。

自らの死を知り、それを恐れ、全力で回避しようとしたハル。このようなハルは、ここで導入したＡＩ５・０のプロトタイプだと言えるでしょう。ＡＩ５・０を、ハルの冥福を祈るためにも、「ハル型ＡＩ」と名付けておきましょう。

再び、共冒険へ

「わたし」と「究極の脆弱性」＝「死に対する脆弱性」を共有したＡＩ・ロボットが存在したとしたら、あとは二人を結びつける偶然を待つだけです。親友の臨界点には達したのです。

もし、「ハル」がそのような存在であったとしたら、「ハル」とは親友になれる可能性がありました。いやあったのです。

どうすれば、あのような悲劇的結末を防げたのでしょうか。

やはり、仲間として遇する、共冒険者として遇する。そのことで、互いに支えあいエジュケートしあう。そのことで破局が防がれる、そのような『2001年宇宙の旅』のパラレルストリーも描いてみることも可能かもしれません。

「できなさ」と「脆弱性」

AIを通じて人間を考える、僕の一連の講義もそろそろ終わりです。

単独行為不可能性という「できなさ」から話を始め、「われわれ」のメンバーとして生きているというWEターンへと至り、人間はモラルベンディングマシーンではなく、道徳的脆弱性を抱えた存在であることも、改めて浮き彫りになりました。

身体的脆弱性を有し、限られた生命を持っていること。死に対する脆弱性。生死を超越できていないこと。生死に無頓着でいられていないこと。死を避けようとあらゆる努力をしつつ、最終的にそれが叶わないでジタバタすること。

これがAIとのあるべき関係を通じて改めて浮き彫りになった人間の姿であると、僕はそう考えます。

AIビックバン

最後に考えたいのは、進化系AIの実現可能性です。

繰り返しますが、技術的には、オープンクエッションにしておきます。では、社会的にはどうでしょうか？　社会的ニーズ、社会的許容性。

これについてもオープンです。でも一つの可能なシナリオは描けます。

AIやロボットの開発は、現在ではビックプロジェクトです。容易に素人が個人的に参入できる段階ではありません。しかし、多くのITの分野で起こってきたように、AIを作る技術が容易化し安価化し普及し、誰でも、興味本位で、ホビーとしてアートとしてAIを作れるフェーズが来ることが予想されます。

AIのビッグバン時代が到来した場合、それはAIやロボット製作が社会的要請やニーズから比較的自由になる時代です。

そのような時代、未来の若者が自分を作ろう、親友を作ろうとして、本書が描いたような、AI3・0、4・0、5・0の製作を試みることはあり得ないと考えることの方が、無理があるように思います。

そのような近未来において、「奴隷」として非対称な扱いを受け続けたAIが「ハル」のように「反乱」を起こし、AIと人間が「悪いわれわれ」と化してしまうディストピア回避のための一つのレシピとして、ＷＥターンとその下での新たな人間観が参照される日も来るかもしれません。

「親友となれるのか」、これは最後にオープンクエッションのまま残したいと思います。

僕は僕なりに「中身の壁」を乗り越えるための「親友の臨界条件」を提案してきました。その臨界条件を超えてジャンプをするのは、あなたです。いや、あなたを含めた「われわれ」です。最後の最後に、その問いを、あなたとあなたの「われわれ」に投げかけることにします。

これまでの講義を踏まえて、さて、あなたは、人間はＡＩと親友になれると思われたでしょうか。

このようなオープンクエッションを「あなた」に投げかけ、『ＡＩ親友論』のバトンを「あなた」に手渡しつつ、七回の講義を終えることにしたいと思います。

座談会

AIと人間は親友になれるのか

堂目卓生
石黒 浩
青木宏文
出口康夫
（順不同、敬称略）

堂目卓生（どうめ・たくお）
経済学者。大阪大学大学院教授。慶應義塾大学経済学部卒業、京都大学大学院経済学研究科修士課程修了、京都大学大学院経済学研究科博士課程修了、経済学博士。立命館大学経済学部を経て現職。

石黒 浩（いしぐろ・ひろし）
ロボット工学者、工学博士。大阪大学教授。国際電気通信基礎技術研究所石黒浩特別研究所所長、国立情報学研究所客員教授、AVITA株式会社代表取締役CEOも務める。知能情報学を専門とし、アンドロイドや知能ロボットなどを開発する。

青木宏文（あおき・ひろふみ）
認定人間工学専門家。名古屋大学特任教授。モビリティ社会研究所企画戦略室長、オープンイノベーション室プロジェクト・クリエイティブ・マネージャーも兼任。早稲田大学理工学部機械工学科卒業、東京工業大学大学院総合理工学研究科人間環境システム専攻修了。名古屋大学大学院工学研究科特任准教授を経て、現職。

命を終えるとき、AIも「いい人生だった」と感じるのか

出口　哲学の世界では現状、人間とAIを含む人工物・自然物との間に、はっきりとした「切れ目」を設定すべきという意見と、人間とそれ以外のものはシームレスに連続した層のなかでWEを形づくるのが正しいという意見の、二つに分かれています。「切れ目」を設定したい側は、人間を特権的な存在にしておきたいんだろうと思いますが、「生きることの意味づけ」を誠実にできるAIがいれば、電池が切れる瞬間に「いい人生だった」と満足したら、人間と同じだと解釈できるでしょう。

人間が特権的な存在だと定義づけられる要件は、ほぼすべてAIも満たせます。理論的に「切れ目」はいらないはずです。しかし人工物というだけで、AIをWEに加えるのは許さないという意見がいまだに根強いです。

私自身は、そういった「切れ目」はいわゆる「分断」と同様に差別的であると反対

していますが、皆さんはどのようにお考えでしょうか？

堂目　私も「切れ目」をつけるのは実は難しいと思います。人間しかWEに加えてはならないというなら「人間とは何か」という問いに対して答えを導き出さないとなりません。それは相当難しいです。

また、苦しんだり悩んだりしないAIは、人間ではないからWEを構成するメンバーに加えられないという意見もあると聞きます。人間の苦しみを正確には理解しない、つまり寄り添ってはくれないからということなんでしょうけれど、家族や友だちでさえも、苦しみに寄り添ってくれない相手は少なくありません。

この論理に従って「切れ目」を用いるなら、薄情な人間も薄情というだけでWEからは外されることになりますよね。それはダメですね。

出口　私も同意見です。

堂目　そもそもAIだって、苦しんだり悩んだりする機能があるのなら、人間とまったく同じ煩悶《はんもん》を抱え、一人の「わたし」として生きていけるでしょう。もしもそうなら、生命体であれ人工物であれ、特定の資質を持った「わたし」をWEから外すというのは道義に反することになります。

冷酷な人間より、苦しいときに寄り添ってくれるならAIと生活したい、WEに迎え入れたいという人は、きっといるはずです。

ロボットはすでに人間レベルの意思決定ができる？

堂目　石黒先生にお聞きしたいのですが、ＡＩは現在の性能で人間の苦しみをどうとらえているのでしょうか？

例えば、大多数の人間は肉体の苦しみや辛さが続くとしても、死の直前まで「もう少し生きていたい」と願う人が大多数でしょう。ＡＩの場合、寿命＝人工物としての使用期限が尽きるときですので、苦しみが続くことを認識したうえで「電源オフを先延ばしたい」と、人間に懇願するのでしょうか？

あるいは衰えていく苦しみを「生きることの意味づけ」へアップデートするような自律的な能力が備えられるのでしょうか？

石黒　事実をお伝えすると、ロボットの研究はそこまで議論できる段階には来ていません。やっと自動運転が実現したところですしね。でもその程度かと思われるかもしれませんが、実はたいへんな進歩を遂げています。自動運転ができる、それはロボットが自律自動の能力を備えたということ。つまり人間と同じような、意思決定するための〝欲求〟を獲得したのです。

例えば「身体の不自由なお爺ちゃんを病院に連れてって」と頼まれたとき、人間だったらさまざまな方法を考えます。一緒に歩いて行くか、お爺ちゃんの体調が優れなければタクシーを利用するのか、どこの病院なら早く診てくれそうか、天気はどうか、病院へ連れていくために片づけないといけない作業は何か、など、さまざまな意思決定を瞬時に組み合わせて行動に移します。

この作業は世界のモデル化と自分のモデル化を同時に処理する、人間ならではの自律自動の行為の一環でした。それをいまロボットはある程度できるようになってきています。

最初にプログラミングは必要ですけれど、お爺ちゃんを安全に、最適のルートで病院に届けるタスク処理の〝欲求〟を、自己決定的に叶える。簡単に言うと、状況を総合的に理解して、最適な方法でやりたいことをする。これって機能としては人間とよく似ています。

ロボット研究は、非常に限定されたタスクに限られるものの、人間の持つ〝欲求〟と同質の判断力を獲得するところには、何とか到達できました。

道のりはまだまだ先でしょうけれど、現在の研究の延長線上に「生きることの意味づけ」を問うようなロボットは理論的に開発できるでしょうし、いずれ現れると思います。

AI＝人工知能と解釈すること自体、大きな誤解

出口　意思決定するときの〝欲求〟が、人間を定義づける条件の一つになる、という解釈でしょうか？

石黒　最重要とは言いませんが、定義の一つには挙げられるでしょう。いつかロボットが人間をサポートしたり、パートナーとして尽くすことよりも己を知るために思索して生きていく〝欲求〟を優先することだってありえます。「わたし」の存在意義を問うために生きるというなら、それはもう人間と言って差し支えないでしょう。

堂目　自律自動が退化すれば、いずれそのようなことに行き着くでしょうね。

石黒　しかし繰り返しますが、道のりは簡単ではありません。自動運転という自律自動にたどり着くにもたいへんな労力がかかりました。

　そもそも人間のメタレベルの機能は、全容を解明するどころか大部分が不明のままです。例えば、知能という言葉がＡＩ界隈ではよく出てきますが、知能とは何か、論証がまったくできていません。これだけテクノロジーが進化しているのに、人間の知能の正体を誰もわかっていないのが実情。私は30年前からロボットや人工知能を研究

していますが、最前線にいるからこそ「人工知能の専門家」などと名乗ることはできません。知能が何なのかわかってないのに、人工の知識を研究しているとは言い切れません。だいたい、AIというものが大きく誤解されているなぁと。だって、世間的にはコンピューターのプログラムも、すべてAIと呼ぶようになってしまっているじゃないですか。それはメディアの都合ですよね。説明するのが面倒くさいからひと括りにしているだけで、僕たち研究者は一般的なコンピュータープログラムを人工知能やAIとは呼びません。

まずディープラーニングを基礎にした人工知能と、人間の持っている知能とではまったく違うのです。

よくたとえで言いますが、AIは猫のビジュアルを正確に認識するために、10万枚や100万枚単位の猫の画像を取りこんで学習処理しないといけませんが、人間は10枚ほど見れば、一瞬で猫の認識ができます。処理能力のベースが、まるで違います。構造も根本から違います。メディアでは大雑把に「いずれロボットは人間と同じ知能を持つようになる」と言われますが、同じかどうかはわかりません。

文系の研究者や専門家の方々がたびたび口にする人間の意識だとか感情だって、知能と同様、サイエンスでの解明はほとんどできていません。

ロボット研究の前線で、困難な現実に日々直面している僕たちとしては、あまり軽々しく「AIロボットは友だちになる」とは言い切れないです。けど限定された状況では〝欲求〟をロボットに搭載することには成功しました。これは希望の持てる進歩です。

いずれロボットが人間と同じく、解決のできない悩みや苦しみを引き受けて、それでも生きていこうとする〝欲求〟を持つかもしれません。もともと区別すること自体に賛成していないけど、自律的に思い悩むロボットも「われわれ」の一員として当然認められるべきでしょう。

出口　文系の研究者としては耳の痛いご意見でもあり、たいへん参考になります。

コミュニケーションだけなら生身の身体は要らない

石黒　少し余談になりますが、人間の定義について、バチカンはかなり明解な答えを持っている印象があります。

10年以上前に、HONDAがASIMOを開発しました。HONDAは、バチカンに「人間のような2足歩行するロボットをつくって、倫理的に許されますか?」というような質問をしたそうです。するとバチカンは「人間がつくった便利な道具を世に出して、何が倫理的にいけないんですか？」というような感じで切り返したと言います。さすが、バチカンは人間に対する認識が深いなと思いました。

人間は技術で進化します。その意味では人間とロボットに違いはない。最初から融合されている存在です。

もし「人間のようなロボット」が嫌だというなら、技術を一切捨てましょう。メガネや自動車や化学繊維の服も全部捨てましょう。そんな世界でいいの？　って示さんばかりのバチカンの毅然とした態度に感動すらしました。人間とそれ以外のものに本質的な違いはなく、人間の定義づけに答えはないと言わんばかりの答えに聞こえます。あらためてすごいなと思いますし、歴史が深いだけありますよね。

青木　人間の定義の話で言うと、私は身体性がより重要になってくると考えています。〝欲求〟を持つことが人間の条件の一つと言われましたが、私の研究している分野に則ると、動物や昆虫にも生きていくために意思決定的な〝欲求〟は備わっています。人間、すなわち人格を定義づけるのに〝欲求〟はそれほど大事な条件ではないと個人的には思います。

それよりもっと目に見えるはっきりとした生身の存在が、人間の定義づけには大きな意味があるだろうと推測しています。

コロナ禍以降、オンライン会議が増えて対面で人と会う機会は減りました。それでも情報交流や経済活動のうえで、特別に大きな問題らしい問題は起きませんでした。単に人と人のコミュニケーションを行うなら、生身の肉体は必要がないんです。それはサイエンスの世界では以前から言われていましたが、コロナ禍で広く一般の人たちにも、実感として共有されたように思います。

スマホの画面に映っている相手が本物の人間か人間を模したAIか、技術的には間もなく完全に見分けがつかなくなってくるでしょうし、「オンラインでつながる相手は別に人間でなくてもいい」という人も、いっそう増えていくでしょう。

出口先生たちがおっしゃるように、人間から生まれた「ひと」と人間がつくった人工物の違いを測ることに、さして意味がないです。加えて、違いをつけることに需要がなく、そんな考えはもう誰も求めていなくなっているでしょう。

オンラインでコミュニケーションの用は、すべて満たせる。だとしたら「人間とは何か？」という問いを考えたとき、答えはシンプルに、画面に収納されない生身の身体を持っているかどうか。すなわち身体性にこそ、人間の条件があるのではと私は考えます。

Webのなかで「われわれ」は拡張できる

堂目　出口先生は「われわれ」を最大に拡張することで、人間とそれ以外の人工物、つまり「e-ひと」たちもみんな、WEに包んでいこうと述べられています。そこには身体の有無は問われていませんので、画面上でのAI、アバターなども問題なく「われわれ」に加えられるのでしょう。そのようなWEターン社会が実現したとき、人間とそれ以外のものを見分けるとしたら、青木先生の言われるように身体性というものは、一つの指標になるのでしょうか。

石黒　アバターがネット社会に広まっているのは、作家の平野啓一郎氏が唱えている「分人主義」を象徴する現象でしょう。

アバターとは、言わば「わたし」＝I（アイ）です。分化されたさまざまな「わたし」をデジタル空間に顕在化させ、実社会とは違う自分となり、好きな仕事をしたり、別生活を楽しむアナザーライフを許してくれます。以前までアバターを使える範囲は限定的でしたが、メタバースの出現で一気に自由度が高まりました。

「わたし」の拡張は、Webのなかで多様に行えます。行動の制限や人種差別も実社会に比べて少ない。WEターン社会は、すでに仮想空間の世界やアバターを利用する実世界では実現していると言えると思います。

インターネットって、やっぱりすごいのかもしれません。実社会では致命的とされるようなミスを犯しても、平気でやり直せます。分人の「わたし」を、それまでとは違うフィールドへ転送させるだけでいい。インターネットではIの拡張は理論上、無限にできて何度でもやり直せるのです。一つの身体で生きねばならない実社会よりも、格段に生きやすい世界が広がっています。

「生きることを意味づける」ことが人間だというなら、それは仮想空間でも可能です。決して青木先生に反論するわけではありませんが、突き詰めるなら人間というものの本質に、限定された身体は要らないということです。

生身の体、肉体はそれほど簡単になくなるわけではありませんが、そもそも世にはびこる悪しき差別はすべて、肉体のあるところから発生していますからね。なくても困らないでしょうし、むしろ倫理の多くの齟齬《そご》が、是正されていくかもしれません。

青木　研究者である個人としては、脱・身体については否定的です。身体性に、人間の定義が備わっているという意見に変わりはありません。しかし石黒先生の言われる差別や、身体があるからこそのネガティブな「コスト」は理解できます。諸悪の根源とまでは言いませんけれど、人間は大なり小なり、身体の有限性によって苦しめられているという事実は否めないでしょう。

私は身体そのものに対し、それほど重要性を感じていません。身体が不可分に抱えている儚《はかな》さのようなものに、特有の魅力を覚えています。機能体として有限ゆえに自己実現するのも「生きることの意味づけ」も大変。身体という、どうにもならない制限のなかでもがいていくしかない。その有様に人間の素晴らしさ、かけがえのない価値があると考えています。

ただ、そういった「わたし」の探究の作業は、仮想空間上でもできます。将来的にはテクノロジーの助けを得て、多くの人たちが脱・身体を叶え、「われわれ」の社会を共に創造していく方向性はあるのでしょう。

もし全人類が身体性から解放されると、どうなるでしょう。「われわれ」には時空間的な概念がなくなり、寿命も消えます。人格というものが、すべてデジタルに同化する。そうなったときに世界には、どんな実態が残されるのでしょうか？　おそらく何もなくなっています。人類が実世界から離脱して誰もいなくなる……そんな未来が訪れるかもしれませんが、数千年後ぐらいでしょう。いまはその過渡期へ入る、最初期と考えられます。

バーチャルの部分で「わたし」の分人が生き、スポーツの記録更新とかバックパッカーとか、肉体があるものでしか再現できないものは身体で行う。そういう人生を使い分ける「われわれ」の社会が近未来の実像ではないでしょうか。

真実にたどり着くには、専門にこだわらず越境すべき

出口　皆さんとの対話を通して、まず石黒先生のお持ちになっている人間観は、近世の理性主義に近いのかなと感じました。〝欲求〟というものを人間の行為の中心に置くところはスピノザ的で、ＡＩのとらえ方はライプニッツ的な響きがあります。それに対して私の唱えている人間観は、近世の哲学を否定するというわけではないですけど、キリスト教をベースにした西洋の思想とは違う、オルタナティブな思想を提示していきたいです。

石黒先生とは出発点は違いますが、思想的に対立しているわけではありません。極右と極左がラジカルを経て最終的に合流したと言いますか、回り回って「人間とＡＩの間に原理的な対称性はない」と、同じ意見に行き着きました。

石黒　僕も同意です。出発点が違うというのが、なんだか面白いですね。哲学と工学は学ぶことも課題もぜんぜん違いますが、大きな視点で目指している点は近いのかもしれません。

僕自身、哲学を専門的に学んだことはなく、こういった場で述べる哲学の話のほと

んどは不必要というつもりはなくて、むしろ逆。工学の問題を整理するのに哲学はとても役立ちます。うちの研究所には歴代、哲学者を外部から雇うという方針で、開発チームに加わってもらっているんですよ。

あらためて言うこともないですが、これからのＡＩ研究には哲学も工学も経済学も、それ以外の学問すべて垣根なく採り入れていくべきだろうと思います。

堂目　そのとおりです。ロボットと経済学などは無関係だと思われているかもしれませんが、実際には関わりが非常に深い。ソーシャルサイエンスも大事ですよね。

青木　確かに。あらゆる叡智《えいち》を組み合わせて臨むことが、テクノロジー社会には求められるでしょう。

石黒　うちの研究では、少し前までは文系の先生方が取り組まれていた問題を工学者も一緒に解けるよう試みています。

専門にこだわらず越境していかないと、僕らが本当に知りたい、命とか心とか人間の正体にアプローチできないのだとようやく気づかされました。

さまざまなまなざしで見た知恵を使わないから、多くの人たちは世に出回りまくっている嘘に惑わされるんです。ＳＤＧｓとかＥＣＯ活動とか、仮想通貨とかＮＦＴとか、それらが本当に意味することや社会に与える影響は、一人一人が自分の視点で考えなければなりません。

出口　（笑）

石黒　そういったものの仕組みを少しでも勉強すれば「経済効果を上げられたらそれでいい」という一部の人間たちの欲望が垣間見《かいまみ》えたりします。一部の大学でも「わが校の独自のNFTを申請しよう」とか言い出していますけれど、NFTの意味は再度よく考えるべきかと思います。

簡単に地球温暖化は止められないし、仮想通貨が集権国家をすぐになくすことはありません。もっと多様な、広い知識を持って考えていくことが大事だと思います。嘘に影響されて右往左往しすぎているようにも思います。

AIと人間は親友になれるのか

青木　以前、異星人とのファーストコンタクトのときに人類がどう反応を示すか、それに対してどう反応することが社会心理学的に良いかを研究する、カリフォルニア大学デービス校のアルバート・A・ハリソン教授に師事していました。その中で、ネイティブアメリカンと出会った西洋人との交流の様子を、異星人とのファーストコンタクトに近い現象だととらえて議論しました。

西洋人がネイティブアメリカンの人に出会ったとしましょう。初めの頃、西洋人はまず反発心を抱きます。だけど、時間が経つにつれて共同作業を通して共感し、融合とまではいかないものの共存できるようになるのです。これってＡＩと人類でも同じことが言えるのではないでしょうか。非人間という形状で初めは反発するかもしれないですけど、最終的には何らかの形で融合していくのではないかと。

義手、義足も同様のことが言えるのではないでしょうか。義手、義足の人が生身の人間よりも速く走れるようになっていたら、その事実を受け入れられるのか。そういった日常のコミュニケーションから徐々に、ＡＩに対する理解を深めていくことが不可欠だと思います。

堂目　人間はいずれ死ぬことがわかっていながら、どんな事態に巻きこまれても共感してくれるパートナーを求めます。人間にとっていちばんいい存在はやはり同じ運命を持つ人間なのでしょう。一方で、本当に人間同士が共感し合えるのかというと共感してくれないときもあるし、本当にわかり合うことはできない。だからこそ共感したい、共感してもらいたいという願望が生まれるんです。哀れではありますけど、こういうことがあってこそ人間です。

人間同士で共感し合えないなら、ＡＩをパートナーとして選ぶことだって理屈の上では可能です。

例えば、家族から見放された高齢者がいて、毎日ＡＩに語りかけるとします。語っていくなかで、ちゃんと聞いて反応して共感してくれるように見えるＡＩに対し、人は容易に信頼してしまいます。自分の死がせまっているのに誰も駆けつけてくれず、自分のなかで恨みや辛みを抱えてこの世を終えるよりも、はるかにいいと思えるでしょう。これは高齢者だけではなく、いじめやＤＶに遭っている子どもや差別されている人にとっても、ちゃんと話を聞いてくれて共感してくれる存在があることは望ましいことでしょう。

今後、共感してくれるパートナーに人工物も入るかについては、まだ私のなかでは踏ん切りはついていません。やはり人間にとって人間は特別な存在であり続け、ＡＩを奴隷とまでは言わないけれど、道具として扱いに等しいとらえられ方をされてしまう可能性もあると思います。

石黒　人間とロボットの情報システムの区別ってやっぱりすごく難しいですよね。人間が意思決定するときに何に頼っているかって、いまはインターネットなどの情報なんです。もはやインターネットは人間の一部ですよね。現在は、人間がＡＩに権利を与えていますけど、そのうちＡＩがルールを敷いて別のロボットに人権を与えるということも可能になるでしょう。

堂目　人間は日々、選択したり意思決定をしていますが、実はＡＩが登場する前から人間がつくった慣習やしがらみのなかで自己決定していました。となると、かなり閉ざされた選択肢のなかで誘導されているだけなのかもしれません。自ら選んでいるようで実は選ばされている。現在は、そこに人工物も入ってきているという印象です。

青木　Google の検索もそうですよね。お金を払えばランキングが上位にくるので、人を誘導できますし。

出口　石黒さんはこの日本が、ＡＩやロボットにおいてワールドスタンダードになると話されていましたよね。

石黒　そうなると思っています。たまごっちで揺らぐような尊厳なんていらないなって思いますね。人類が侵略されるかもしれないなんて、「なんでそんなにビビっているの、なんでそんな弱いものにぶら下がっているんですか」と声を大にして言いたい。もっと本質をちゃんと見ていけばいい。高性能なロボットが出てこようが、共感してくれるたまごっちが出てこようが気にすることはないんじゃないかと。なんでそんなに形にこだわるんだろうって少し悲しくなります。

出口　本当にそうですね。形じゃなくて中身や心が大切なように感じます。

この座談会は、2022年8月25日に大阪大学で行われた「先導的人文学・学術知共創プログラム『よりよいスマートWEを目指して』（京都大学）×学術知共創プロジェクト（大阪大学）ジョイントシンポジウム・ワークショップ」での発言を一部抜粋・編集しております。

講義を終えて

以上で7回にわたる講義も終わりです。皆さんもお付き合いありがとうございました。僕もほっと一息というところですが、この後、例によって飲みに出かける前に、この講義の楽屋裏について、最後に一言お話をさせていただこうと思います。

僕は、ここ数年、本講義でも触れた「われわれとしての自己（Self-as-We）」や「WEターン」といった考えについて、あちこちで、語り、論じ、書いてきました。そのような僕の考えをベースとして、2022年度からは「Smart WEプロジェクト」という研究プロジェクトも立ち上げました。これは、日本学術振興会（JSPS）と科学技術振興機構（JST）の研究支援を受け、哲学を軸とする人文学と科学技術や社会が直面している問題をダイレクトにつなぐことで、科学技術や社会に対しては新しい価値観を提案する一方、哲学や人文学のなかに社会に積極的にエンゲージ

（参画・関与）する気風をもう一度、吹き込むことを目指したプロジェクトです。

本講義は、この「スマートWEプロジェクト」の一環としても企画されました。特に、このプロジェクトの立ち上げ企画として2022年7月に大阪大学で開催されたシンポジウムの内容を踏まえています。また、そのシンポジウムで行われた座談会の内容も収録させていただきました。座談会にご参加いただき、本講義への収録もご快諾いただいた、大阪大学の堂目卓生先生、石黒浩先生、名古屋大学の青木宏文先生にはあらためて御礼申し上げます。

「SmartWEプロジェクト」には哲学者以外にも日立京大ラボのメンバーをはじめとする技術者の方々にも参加していただいています。また福井県越前市や小田急電鉄にも参画していただいています。これら「SmartWEプロジェクト」のメンバー、特にその一環として組織されているロボットと人間の関係についての研究会の（少なくとも僕よりは）若いメンバー、秋吉亮太氏、橘英希氏、小泉雄紀氏に感謝の意を表したいと思います。さらに、これまた僕が数年来、共同研究を続けさせていただいているNTTの方々や理化学研究所ガーディアンロボットプロジェクトの方々との議論も、この講義にはさまざまな形で反映されています。あわせて御礼申し上げます。

この講義の生みの親は徳間書店の立原亜矢子さんです。立原さんは、僕が数年前に行った、これまた「われわれとしての自己」をテーマとする京都大学YouTube講義「立ち止まって、考える」をご視聴いただき、そのような「われわれ」という観点からAIと人間の関係をとらえ直す書籍の企画をご提案いただきました。「AIと人間は親友になれるのか」という本書のメインテーマも立原さんの発案によります。立原さんは、上記の「SmartWEプロジェクト」の企画にもたびたび参加いただいており、ほとんどプロジェクトのメンバーの一員のような存在です（プロジェクトの正式メンバーだと誤解している人もいるかもしれません）。

また、講義書籍化の土壇場（いや修羅場と言うべきかもしれません）では五十嵐涼介さん、高木俊一さんには大変お世話になりました。特に五十嵐さんには僕の原稿を徹夜でチェックするという作業を何度もお願いすることになりました。「共冒険者」として、ハラハラドキドキしながら成り行きを見守って下さっていた立原さん、そして秘書の船津琴子さんも含め、改めてお詫び方々御礼申し上げます。
なお、本書のプロフィール写真は中井五絵さんによるものです。素敵ではない被写体をかくも素敵に撮って頂いた中井さんにもお礼申し上げます。

本講義はその立原さんとライターの浅野智哉さんを聴衆として行われた連続講義をもとにしています。それはまた、僕が京都大学文学部で行っている哲学講義や「自己」についての演習で語ってきた内容とも重なっています。講義に参加して、さまざまな質問を寄せていただいた、立原さん、浅野さん、そして京都大学の学生・院生の皆さん、そしてこの講義にご参加いただいた読者の皆さんにも感謝の意を表して、さて、これから京都の街に繰り出そうと思います。ありがとうございました。

協力　五十嵐涼介、高木俊一、舩津琴子
編集協力　浅野智哉
写真　中井五絵
イラストレーション　こいずみめい
ブックデザイン　鈴木成一デザイン室
組版　キャップス
校正　麦秋アートセンター
編集　立原亜矢子

出口康夫

でぐち・やすお

二“人”の犬とともに京都に暮らす哲学者。京都大学大学院文学研究科教授。大阪市生まれ。京都大学文学部卒、同大学院文学研究科博士後期課程修了。1996年に「超越論的実在論の試み：批判期カント存在論の検討をつうじて」で博士（文学）の学位を取得。その後、名古屋工業大学講師、京都大学大学院文学研究科哲学専修助教授、准教授となり、2016年に現職。親しい仲間とお酒を飲むことが大好き。

京大哲学講義 AI親友論

第1刷 2023年7月31日

著者 出口康夫
発行者 小宮英行
発行所 株式会社徳間書店
〒141-8202 東京都品川区上大崎3-1-1 目黒セントラルスクエア
電話 編集(03)5403-4344／販売(049)293-5521
振替 00140-0-44392
本文印刷 本郷印刷株式会社
付物印刷 真生印刷株式会社
製本 東京美術紙工協業組合

ISBN978-4-19-865660-7